Thomas Längström

SCHÖNE UR*i*AUB

Millennium-Tour 2000

Titelbild: gmg9130/Shotshop.com

Bild Rückseite: Vadmary/Shotshop.com

Gestaltung: Herbert Glaser, Thomas Längström

Lektorat, Korrektorat: Beate Fischer, Schreibgewandt

Verlag & Druck:
tredition GmbH, Halenreie 40-44, 22359 Hamburg

ISBN
Paperback 978-3-347-10371-9

Hardcover 978-3-347-10372-6

e-Book 978-3-347-10373-3

„Man reist ja nicht um anzukommen,

sondern um zu reisen."

Johann Wolfgang von Goethe

Inhaltsverzeichnis

Intro..9

Fuerteventura 1999........................11

Lanzarote 1999 - 2000.....................36

Gran Canaria 2000..........................71

Portugal 2000..............................104

Tunesien 2001..............................146

Malediven 2001............................159

Mallorca 2002..............................208

Nizza 2002..................................226

Teneriffa 2003.............................248

Lanzarote 2003..............................265

Rügen 2004..................................275

Formentera 2004............................305

Menorca 2005...............................338

INTRO

Kerstin & Tommy sind stets verliebt und immer auf Reisen. Unzählige gemeinsame Luftveränderungen gehören zu ihrem unbeschreiblichen paradiesischen Glück. Ausgerechnet zu ihrer einhundertsten Reise schenkte ihnen der Reiseveranstalter einen bunten Urlaubsflyer mit dem verzwickten Schreibfehler, der sie zu diesem lustigen Buchtitel inspirierte. „Schöne Uriaub" wünschte man ihnen für erholsame Urlaubstage.

Gemeinsam erzählen beide nachfolgend von ihren spannenden „Millenniums-Touren" quer durch Europa. In ihren zwölf schönsten Reisegeschichten schildern sie ihre persönlichsten Eindrücke von einem der wichtigsten Ereignisses dieses Jahrhunderts, dem Jahreswechsel ins Jahr 2000, den Kerstin und Tommy zusammen erlebten und dabei ihre Träume und Erinnerungen in geflügelten Worten für die Ewigkeit festgehalten haben.

Liebe und Urlaub sind nichts anderes, als das Träumen vom Meer und dem Wind oder einfach nur in der Sonne liegen und faulenzen. Dabei kann man genauso noch die Pläne für übermorgen schmieden. Liebe und Urlaub sind auf gleiche Weise weißer Flieder im Garten, der herrlich duftet und leuchtet. Liebe und Urlaub bedeuten, nur die Augen zu schließen und vom offenen Kaminfeuer zu träumen und den lodernden Flammen zu lauschen, wo die Zeit keine Rolle mehr spielt. Liebe und Urlaub sind nicht viel anders, als das Streicheln der Seele, ähnlich wie das Lesen von Liebesbriefen und sich immer wieder an das Schöne erinnern.

Liebe und Urlaub sind fast dasselbe, wie ein Puppenspiel anzuschauen und dabei selbst in die Rolle der Hauptdarsteller zu schlüpfen. Es ist gewissermaßen ein Schattenspiel der Herzen und ihrer Liebe gleichermaßen. Manchmal sind es jedoch nur zwei Tautropfen auf einer Rose, die sich treffen und sich niemals wieder trennen.

Spanien - Fuerteventura Bahia Calma - Costa Calma

August 1999

Tommy an Kerstin:

„Liebster Schatz, es sind nur noch gerademal zwölf Tage bis zu unseren Ferien auf Fuerteventura. Ich freue mich schon sehr, wenn ich mit Dir auf der Insel des Windes eine gemeinsame Zeit verbringen kann. Jeden Tag zusammen aufwachen, frühstücken und den Tag individuell gestalten, gemeinsam wieder in die Heia gehen, sich fest drücken und zusammen einschlafen. Wäre das nicht wunderschön? Dazu schenkt uns der Wettergott bestimmt noch viel Sonne, das blaue Meer und den breiten feinsandigen Strand. Zusätzlich gibt er uns noch viel Zeit im Handgepäck mit, Zeit zum Träumen, Schmusen und Entspannen. Wahrscheinlich gibt es dann nur noch eine Insel - die mit uns zweien!“

Ihr vierter gemeinsamer Urlaub beginnt am Samstagmorgen, dem vierzehnten

August um drei Uhr in der Früh. Kerstin bereitet für sie beide ein kleines Frühstück vor und dann lädt Tommy ihre Koffer in sein Auto und sie fahren nach Ismaning und anschließend mit der S-Bahn zum Flughafen. Dort kommen sie pünktlich um vier Uhr fünfzehn an und checken ein. Es folgt ein wunderschöner Flug in der Boeing 737/207Y nach Puerto del Rosario.

Um elf Uhr erreicht der Bus das Hotel. Natürlich ist das für einen Empfang viel zu früh, denn das Appartement ist noch nicht bezugsfertig. Gemütlich spazieren beide dann also gezwungenermaßen durch die Anlage von „Bahia Calma", besichtigen den Swimmingpool und begutachten noch den supertollen Strand.

Ihr langer Spazierweg endet im Westen beinahe vor dem Hotel Los Gorriones. Also drehen sie um und genießen in ihrer Anlage an der Pool-Bar mit dem lieblichen Namen „Heidi" ein köstliches Eis.

Danach ist ihre Unterkunft endlich frei. Nach dem Duschen erkunden sie das Ortszentrum von Costa Calma mit den vielen Geschäften und Hotelanlagen. Ihr erster „halber“ Anreiseurlaubstag geht bald zu Ende. Nach dem Abendessen kommt es zur ersten Analyse.

Tommy:

„Eigentlich ist es doch so: Es war doch ein superschöner Ankunftstag! Endlich sind wir im Urlaub angekommen, wo man sich die Sonne auf der Haut wünscht, Sand an den Füßen und Schweißperlen auf der Stirn. An der Costa Calma hat es noch achtundzwanzig Grad im Schatten, das Atlantikwasser hat fünfundzwanzig Grad, unsere Herzen glühen und das Thermometer der Liebe zeigt 100 % an!“

Kerstin und Tommy sind im Traumurlaub auf Fuerteventura gelandet, wo man das Meer sehen, den Wind spüren und die Wärme des Tages genießen kann. Kristallklares Wasser, schöne Wellen, Sonne pur, angenehmer Wind, breiter

Strand, Dünen, blaues Meer, kleine Felsbuchten, so ist das dort!

Obwohl beide ausgiebig geschlafen haben, klingelt der Wecker am Sonntag schon um acht Uhr früh. Im Restaurant genießen sie dann ein ausgiebiges Frühstück. Im Hotel Taro Beach gleich nebenan kauft Kerstin ein paar schöne Ansichtskarten. Anschließend besichtigen sie die vielen schwarzen Vulkansteine am Strand und spazieren anschließend wieder zurück in ihre Bahia Calma-Anlage. Heute ist Pool-Tag angesagt. An der Sonne liegen, schwimmen, lesen, ausruhen, relaxen.

Da gäbe es noch viele weitere Beispiele, was man noch alles machen könnte. Bei „Heidi" gibt es noch eine Kleinigkeit zu essen, Toast mit Schinken, ehe beide sich auf den Weg zum FKK-Strand machen. Dort ist alles ganz entspannt und man hat das Gefühl, diese schönen romantischen Buchten gehörten einem ganz alleine. Mit knurrendem Magen geht es

dann in den Abendstunden wieder zurück. Zur Krönung des Tages gibt es Tommys Lieblingsessen: Schnitzel mit Pommes.
Beim obligatorischen Verdauungsspaziergang besichtigen sie die mächtigen Windräder, die sich ganz in der Nähe auf einer Anhöhe von Costa Calma drehen. Dazu kommen noch die alltäglichen Analysen ihrer Eindrücke, die sie sich gegenseitig auf dem Rückweg erzählen. Und zu guter Letzt nimmt Tommy an diesem Sonntagabend Kerstin in den Arm und drückt sie fest an sich. Er schaut ihr nur tief in die Augen und schon ist alles gesagt, was gesagt werden musste!

Man liegt auf dem Badetuch auf dem grünen Rasen und lauscht dem Abendwind, wie er leise in den Palmenkronen flüstert. Man könnte fast meinen, es würde regnen. Immer wieder beobachten beide, wie sich die Blätter zur Seite neigen, als würden sie sich von dem Wind verbeugen wollen. In der Ferne hören sie das

Rauschen der Wellen und den Gesang der Vögel.

Am Montag haben sich beide auf einen weiteren Wandertag geeinigt. Schnell wollen sie zum Frühstücken gehen, doch das Bahia-Restaurant hat noch geschlossen. Montag Ruhetag ?, fragt man sich als Gast.

Nein, das kräftige Frühstück bekommt man heute Morgen erst ab neun Uhr! Unmittelbar danach und ohne Einwendungen marschieren sie dann zu Fuß querfeldein über die Insel. Die ist dort an dieser Stelle in Costa Calma nur etwa fünf Kilometer breit.

Es ist also für jedermann ein Leichtes, von da aus auf die andere Küstenseite zu gelangen. Man wandert durch eine karge, öde Landschaft und an bizarren Felsformationen vorbei. Als eine schier endlose flache, weite Gegend präsentiert sich ihnen dort die Natur. Rund um sie herum fast nichts und die Sonne sticht erbärmlich vom blauen Himmel. Linker Hand und rechter Hand erheben sich sanfte graue Hügel in unterschiedlichen Höhen. Dort oben drehen sich die gewaltigen Windräder, die sie schon am Vorabend besichtigt haben, mit einem Höllenlärm. Zum Glück bläst ihnen jetzt ein kühler Nordwind entgegen und macht ihren Ausflug durch die Wüste zum Top-Urlaubserlebnis. Es gibt noch viel Interessantes zu entdecken. Der Boden ist voller Muscheln und in den aufgewehten Sandbänken entdeckt Tommy Bienenwaben aus Sand, die noch aus prähistorischer Zeit stammen. Kleine Krebse sowie Eidechsen und Strichhörnchen flüchten vor den beiden in ihre Behausungen.

„Vor Millionen von Jahren war dies hier Meeresboden“, erklärt Tommy Kerstin, „der sich im Laufe der Entwicklung der Insel immer höher und höher emporgehoben hat. Heute ragt er ein paar hundert Meter über den Atlantik hinaus!“

Das ist Abenteuer- und Erdkunde-Urlaub zugleich! Alles gelogen oder doch ein bisschen wahr? Kerstin schaut da schon etwas skeptisch. „Aber genauso steht es im Reiseführer“, versucht Tommy seine These ihr gegenüber zu rechtfertigen.

Nach kurzer Zeit erreichen sie dann den Zenit, also den Mittelpunkt der Insel, und können nun von dort aus den Atlantik auf der Nordseite sehen. Es ist der wilde Strand von Barlavento. Da geht es plötzlich geradewegs steil nach unten. Sie müssen sehr aufpassen, dass sie nicht auf dem sandigen Untergrund ausrutschen und in die Tiefe sausen.

Alles ist an dieser Stelle noch zusätzlich zu einem atemberaubenden Anblick vereint: Vulkangestein, Sandstein, schwarze Lavafelsen und hohe weiße Wellen, die tosend auf das Urgestein prallen. Landschaft pur vom Feinsten, wie sie attraktiver nicht sein könnte.

Eine schier unbeschreibliche Küstenform öffnet sich am wilden, langen Strand, bis hinauf zum Horizont. Man muss stets achtsam sein, denn auch hier könnte ein Fehltritt lebensgefährlich sein. Nur ein paar Touristen tummeln sich an dieser prächtigen Ur-Küste. Immer wieder fegen meterhohe Wellen gegen diese zerklüftete Felslandschaft. Muschelsucher kämpfen zwischen den schwarzen Felsen gegen die tosende Brandung, um dort die eine oder andere Muschel zu ergattern. Wie in einem Liebesrausch saugen ihre Augen dieses Spektakel in sich auf. Können beide das alles bis heute Abend noch verkraften oder ist dies zu viel des Guten? Tommy liebt seine Kerstin sehr, denn diese Landschaft passt zu ihrer Liebe. Ihre Köpfe sind nun frei und frei ist auch der Geist für diese große Szene dort am Strand. Ihre Herzen und Gefühle sind voll von den schönen Ansichten dieser Insel. Ihre Augen schauen dies alles gemeinsam an. Erst viel später kann man das alles mal analysieren. Vielleicht auch erst im nächsten Winter, wer weiß das schon?

Die Sonne sticht nun immer heißer auf die Köpfe der beiden. Schnell noch ein letztes Foto, eine letzte Umarmung und ein letzter Kuss am Strand von Barlavento. Dann folgt der schmerzvolle Abschied vom Ende der Welt, als würde es wehtun, wieder umkehren zu müssen. Aber sie gehen gerne wieder heim zu ihrem ebenso wunderschönen Strand und zu „Heidi“, wo sicher ein leckeres Eis auf die beiden Naturwanderer wartet.

Bei ihrer Ankunft im „Paradies“ fallen sie zuerst sanft ins Bett, mit all diesen schönen Eindrücken und Träumen des Ausfluges und lassen ihre Seele baumeln und die schweren Füße ruhen. Die glühend heiße Sonne hat ihnen ganz schön zugesetzt. Wenig später sitzen Kerstin und Tommy unter schattigen Palmen am Pool. Bei „Heidi“ gibt's heute frischen Apfelstrudel mit Vanille-Eis und Cappuccino. Mhhm – lecker!

Nun machen sie noch schnell einen Abstecher zu ihrem ruhigen Südstrand.

Tommy zu Kerstin:

„Hast du schon mal einen so schönen Montag erlebt, mit einem so fantastischen Strand dazu?"

Kerstin schüttelt nur den Kopf und lächelt ganz verliebt zurück. Nicht zu vergessen sind noch die vielen Liebeserklärungen und die schönen Gedichte, die sie sich unten am Strand auf der Decke gegenseitig vorgelesen haben.
Der ganze Tag war von vorne bis hinten wunderschön, so dass sie nach dem Abendessen noch in ihrem „Botanischen Garten" unter den Palmen sitzen.

Beide sind etwas erschöpft von der langen Tour und schauen gemeinsam noch die glitzernden Sterne an. Beinahe hätten sie das Schmusen vergessen. Tommy schaut zu ihr hinüber, denn Kerstin wird durch die Sonne immer brauner. Dieses Lächeln der Sommernacht stimmt Tommy glücklich, ja sogar für ein ganzes Leben, an diesem herrlichen, ganz normalen Montag.

Der nächste Tag gibt wieder alles her, was er für Kerstin und Tommy so in petto hat! Erst im Pool schwimmen, dann unter den grünen Palmenblättern die Urlaubskarten schreiben, um sie anschließend in den Briefkasten zu werfen.

Am Mittag gehen beide los und entscheiden sich erneut, westwärts Kurs zu nehmen zum Hotel Los Gorriones. Dieser Tag schenkt ihnen einen atemberaubenden Blick über den weiten türkisfarbigen Strand.

Am Horizont steigen die Feuerberge empor und lassen die Luft flimmern. Sie tauchen nun in die Wellen, schlendern durch die Lagune mit knietiefem Wasser und lassen sich für kurze Zeit nur von der Sonne verwöhnen.

Endlich wieder im Hotel angekommen, genehmigen sich beide noch einen kühlen Drink, sprich Coca-Cola und Bitter Lemon. Nach einem Cappuccino machen sie sich wieder auf den Rückweg ins Bahia. Etwa zehn Kilometer liegen noch vor ihnen. Sie können wählen zwischen dem breiten Strand unten am Meer entlang oder der oberen Bergkante mit Superausblick.

Sie entscheiden sich für beides! Beim ständigen Wechseln zwischen oben und unten entdecken sie für eine kleine Verschnaufpause eine romantische Felsnische. Sie gehört nun ihnen ganz alleine und spendet auch ein bisschen Schatten. Tommys Fazit:
„Fuerteventura ist im Grunde nichts anderes als eine gigantische, nahezu flache Steinwüste aus Vulkangestein, verbunden mit dem breiten Sandstrand und den tosenden weißen Wellen des Atlantiks. Die ganze Insel ist ein wenig nach Süden gekippt, dort ist auch der flache Sandstrand. Eine Insel zum Träumen, deren Eindrücke jedoch erst verkraftet werden müssen. Ein wahrer Rausch für die Sinne, ein Genuss für die Augen und ein wunderschöner Tag für die Herzen."

Kerstin und Tommy kehren zurück ins Paradies, mit den vielen Emotionen, die sie am heutigen Tag erleben durften. Es fällt ihnen schwer, sich für das eine oder das andere zu entscheiden, was am schönsten war. Am besten, man nimmt alles mit, weil man einfach alles liebt und nie wieder hergeben möchte. Fuerteventura ist ein Traum. Sie lassen ihn schweben! Heute ist Dienstag, ein ganz normaler Tag auf der Insel. So lieben beide das Leben, weil es kaum schöner sein kann!

Am nächsten Morgen ziehen weiße Wolken über den blauen Himmel. Als erstes sucht man einen Supermarkt und kauft ein, was man ganz dringend benötigt, zum Beispiel jede Menge Wasser. Heute fühlt sich die Temperatur schon etwas wärmer an als noch gestern.

Da lässt es sich gut im Schatten aushalten, beim Schwimmen und beim Eis essen unter den schattigen Palmen. Mittags zieht es beide ins Taro Beach, das Hotel gegenüber, zum Pizzaessen. Natürlich gehen sie danach wieder baden, denn die Wellen sind heute besonders hoch. Das ist auf alle Fälle eine köstliche Abkühlung an diesem heißen Tag. Sich mutig in

die meterhohen Wellen schmeißen und sich an den Strand spülen lassen, was für ein tolles Vergnügen!
Nach dem Abendessen gibt es nebenan in einem anderen Hotel ein Open-Air-Festival. Da spielt das Animations-Team das Musical GREASE. Es zieht sich bis spät in die Nacht hinein. Danach sind beide aber sehr müde und erzählen sich zuhause noch eine Gutenachtgeschichte. Kerstin sagt noch, dass sie nie gedacht hätte, dass ein Urlaub so schön sein könnte.

Zwei Sternschnuppen schießen am Nachthimmel über den Horizont. Zwei Wünsche für das nächste Jahr! Dann lassen sie sich in dieser dunklen Nacht ins Reich der Träume fallen.

Am nächsten Tag erzählt Tommy:

„Auf ganz Fuerteventura gab es ursprünglich kein einziges Sandkorn, denn der Sand auf der Insel kam im Laufe der

Jahrmillionen aus der Sahara von Afrika herübergeflogen. Auf der Nordseite gibt es keinen Sand."

So steht es ebenfalls in seinem Reiseführer. Und heute wollen sie gemeinsam diesem Mythos auf den Grund gehen und eine Dünenwanderung auf der Südseite machen.

Ein paar Wolken am Horizont dämpfen etwas die Hitze, die sich sonst über die Insel ausbreiten würde. Mit zwei Wasserflaschen und Kamera ausgestattet ziehen sie los. Der Wind bläst schon ganz heftig. Zuerst geht ihre Tour an den Windsurfern vorbei, die schon frühmorgens den günstigen Wind ausnutzen. Die Jungs und die Mädels sind permanent auf der Suche nach der perfekten Welle, auf der sie dann wieder zum Strand zurückreiten. Was für eine aufregende Szene hier am breiten Strand.

Doch schon nach einer halben Stunde Fußmarsch taucht am Horizont die erste Sanddüne auf. Sie wird zu Tommys Lieblings-Fotomotiv, denn dieser Anblick

vom Strand aus ist schon überwältigend. Wie ein verlängerter Arm der Bergkette ragt sie am Kamm des Hügels entlang bis ins Meer hinaus. Der stramme Wind hat sie in den letzten tausend Jahren so wundervoll geformt. Meterhoch türmt sich der Sand vom Meer her hinauf, so dass es sehr leicht ist, zu ihr hochzukommen. Doch immer wieder verliert Tommy wegen des starken Windes seine Mütze, die jedes Mal erneut von der Düne geweht wird. Was für ein Spaß!
Oben auf der Düne kann man sich hinsetzen wie auf einen Sattel eines Pferdes und die Beine links und rechts der Düne im Sand baumeln lassen. Endlich sind die Dünenfotos der beiden im Kasten.

„Also, es wäre nun an der Zeit umzudrehen“, mahnt Tommy Kerstin, wäre da nicht noch die zweite Düne, die sich ebenso gigantisch präsentiert wie die erste. Kerstin möchte jedoch noch weiterziehen. Erst nach etwa einer knappen Stunde Fußmarsch durch Hitze und Wind sind sie am Ziel. Man spürt schon von weitem wie toll ihre Ausstrahlung ist und man wird regelrecht von ihr magisch angezogen. Man glaubt gar nicht, wie megageil so eine Besteigung einer Sanddüne ist.

Landschaftlich gesehen sind sie nun am Gipfel des Möglichen angelangt. Schöner geht es nicht (nur Kerstin ist schöner und süßer). Gewissermaßen präsentiert sich die Insel dort von ihrer besten Seite. Das bedeutet: unberührte Natur pur, weit und breit nichts als freie Landschaft bis zum Horizont.

Endlich geht es zurück nach Bahia Calma. Doch leider bläst ihnen nun der Wind direkt ins Gesicht. Schon bald müssen sie eine Ruhepause einlegen. In einer kleinen Ecke mit grünem Gebüsch machen sie es sich gemütlich. Da steckt schon viel Sand in ihren Augen.

Die Sonne brennt nun ganz schön stark, denn es geht schon auf Mittag zu. Ein kurzer Sprung in die hohen Wellen bringt ihnen etwas Abkühlung, denn es ist noch ein weiter Weg zurück. In ihre

Badetücher eingewickelt erreichen beide nach zwei Stunden den Strand von Bahia Calma. Ein nicht enden wollender Marsch durch die Wüste von Fuerteventura geht zu Ende.

Mit letzter Kraft stürzen sie sich buchstäblich ins Bad unter die rettende Dusche. Ihre Beine sind voller Brandblasen und bedürfen einer speziellen Behandlung. Nach dem Abendessen schlüpfen beide mit ihren Erinnerungen an den „Dünen-Tag" schnell unter die kühlen Bettlaken und fallen regelrecht in den verdienten Schlaf.
Kerstins Gedanken zwischen Tag und Nacht:

„Ein Sonntagmorgen auf Fuerteventura:

Ich spüre deine feinen Brusthaare auf meinem Rücken. Sanft streicheln sie meine Haut. Jeder Urlaub hat ein Gefühl, es heißt sanft! Das Geräusch des Windes verweht alle Gedanken der Nacht und unser schon so vertrautes Körpergefühl betört alle Sinne und zieht uns gegenseitig in den Bann. Das Bild der so unwirklich idealen

Natur hier an manchen Stellen der Insel fällt mir dazu ein. Sanft spülen die Wellen den Schaum an den Strand. Die Übergänge der Farben sind in fast perfekter Harmonie sichtbar. Unsere Liebe hat eine Farbe: Pastell!

Doch auch in dieser Natur sind alle Steigerungen bis zum Äußersten sichtbar. Ganz heißer Wüstensand, doch der Wind kühlt entschlossen, aber auch ganz sanft und glättet zusammen mit den wiederkehrenden Wellen den Sand, immer wieder neu und fast unberührt, wie unsere Zärtlichkeit! Schon so vertraut, aber immer wieder eine Faszination, diese Harmonie zu spüren und ganz tief zu erleben. Einen ganz zärtlichen Kuss!"

Den heutigen siebten Tag auf Fuerteventura erklären beide zum Ruhetag! Es ist so schön, in der Poollandschaft zu liegen, sich von der Sonne verwöhnen zu lassen, auszuruhen und zu entspannen. Ein paar Wolken ziehen vorbei und dabei weht nur ein mäßiger Wind. Für beide bleibt nun viel Zeit für Gefühle und Zärtlichkeiten.

So viele schöne Stunden liegen nun hinter ihnen, dass den Seelen auch mal eine Pause zu vergönnen ist. Es tut richtig gut, mal zu lachen und zu faulenzen und nicht immer nur an den nächsten Event denken zu müssen. Die Stunden im Wunschgarten sind auch zum Auftanken und zum Träumen da. Es ist so schön für die zwei, hier auf der Insel so gemeinsame Tage zu verbringen. Es sind außergewöhnliche Tage, die einen besonderen Platz in ihrem Leben einnehmen.
Unter den schattigen Palmen zu verweilen, mit dem liebsten Schatz der Welt, da kommt Tommy schon ganz schön ins Schwärmen. Er genießt dieses Glück und er würde sein letztes T-Shirt dafür hergeben, dass alles so bliebe, wie es im Moment ist. Nie im Leben hätte er jemals gedacht, dass alles so kommen würde. Ein Traum, der einst noch eine Utopie war, wurde in kurzer Zeit Wirklichkeit.

Es ist nicht leicht, das alles ganz cool zu begreifen.

Wenn er als „Urlaubs-Chronist“ versucht, eben dieses „Gute“ zu beschreiben, fordert es ihm seine ganze spezielle Kraft. Es fehlen manchmal die individuellen Worte für das Glück, das Schöne, das Beste und so weiter und so fort.

Würde Tommy all seine Urlaubs-Gedanken aufschreiben, könnte man davon wahrscheinlich ein gebundenes Exemplar in der Größe XXL drucken. Es ist für Tommy ohnehin ganz ungewohnt, wenn er plötzlich Zeit zum Philosophieren hat, ohne dass seine Denkanstöße vom Alltagsleben unterbrochen werden.

Aber was zeichnet eigentlich einen Philosophen aus und was macht er den ganzen Tag?

Vielleicht weiß Kerstin darauf eine Antwort. Tommy fragt:

„Kerstin, was ist eigentlich ein Philosoph und was macht der so?“

„Ein Philosoph, oder sinngemäß gesagt ein Denker ist ein Mensch, der danach strebt, Antworten auf grundlegende Fragen über die Welt, über die Menschen und deren Verhältnis zu ihrer Umwelt zu finden."

Tommy: „Dann bin ich im gewissen Sinne auch ein kleiner Philosoph!"

Kerstin: „Ja, natürlich, jeder, der sich Gedanken über die Welt und die Menschen macht, ist gewissermaßen ein Philosoph!"
Das freut Tommy natürlich sehr. Einfach genug Raum zu haben, alles was geschehen und erlebt ist, wieder und wieder zu überdenken, niederzuschreiben. Alles in schöne geflügelte Worte zu fassen. Sie fließen dann wie ein Strom ins Meer der Unsterblichkeit.

Einmal auf ein Blatt Papier geschrieben, sind sie dann aus seinem Leben nicht mehr wegzudenken. Ein leerer Schreibblock saugt ihm buchstäblich die letzten gedanklichen Sätze aus dem Herzen heraus. Fast wie von selbst gleitet Tommys

Kuli über die Zeilen im Schreibblock und hinterlässt, mit der Tinte aus der Mine zusammengefasst, ein Dokument ihres zarten Glücks.

Kerstin und Tommy lieben das Leben, so wie es im Augenblick bei ihnen angekommen ist. Sie tanken sich voll mit diesen Gemütlichkeiten. Das ist gut so. Das Leben ist schön und beide sind dabei, sich auf den Weg zu machen.

Seine Gedanken sind frei und werden mit Kerstins Gedanken zusammen noch freier. Seine Liebe ist stark und sie wird im Lauf der Zeit immer stärker. Er fühlt, dass alles gut wird. Der Kopf folgt seinem Herzen, hinein in ferne Zeiten.

Der Augenblick kam zu jener Zeit für beide, in dem sie langsam bemerkten, dass sie das Glück ihres Lebens gefunden hatten. Es war an einem heißen, sonnigen Tag auf Fuerteventura. Diese Insel mit jener atemberaubenden Landschaft hat etwas Anmutiges, Faszinierendes, etwas nicht Begreifbares und Unantastbares. Da werden Träume wahr und fliegen hoch hinauf in den Himmel der Unsterblichkeit.

Spanien - Lanzarote Puerto del Carmen

Dezember 1999 bis Januar 2000

Tommy schickt an Kerstin ein Fax los.

„*Liebste Kerstin, jeder Tag ohne Dich ist für mich ein verlorener Tag. Ich hoffe, dass sich das bald ändert, denn gestern sind unsere Tickets für Lanzarote gekommen. Der Flug geht am Dienstag schon gegen sechs Uhr vierzig los. Wenn wir dann im Flugzeug sitzen, lass ich Deine Hand nicht mehr los. Ich freue mich schon sehr und bin auch froh, dass wir gemeinsam diese schöne Reise machen können.*

Es sind ja nur noch ein paar Tage, bis wir wieder einmal zusammen einen Strand besichtigen können. Das ist immer so schön mir Dir! Falls Du Lust hast, kannst Du heute noch zu mir kommen. Dann könnten wir die Tickets anschauen und den Hotel-Voucher. Danach zünden wir die Duftkerzen an und machen es uns auf der Couch gemütlich. Das Wohnzimmer ist schon angenehm warm und der Duft von Mandarine breitet sich langsam aus.

Ich nehme Dich dann in den Arm und alle Müdigkeit scheint vergessen. Bald schlafen wir Arm in Arm ein und hören das virtuelle Rauschen des Meeres am Strand von Puerto del Carmen!"

Natürlich kommt Kerstin sofort zu Tommy. Sie studieren zusammen ihre Urlaubspläne bis tief in die Nacht hinein. Immer wieder kommt die Frage nach dem Millennium, was da wohl alles auf sie zukommen wird. Außerdem stellen sie sich auch die Frage, was wohl die anderen Menschen am Neujahrstag machen werden. Das ist alles etwas viel auf einmal. Erstmal fliegen sie los ins „Jahrtausendglück" und nur das zählt.
Die Menschen des 20. Jahrhunderts befinden sich in einer Zeit des Umbruchs. Der letzte eisige Dezember der 1990er-Jahre neigt sich dem Ende zu. Es sind nun ebenfalls die letzten Tage unseres Jahrhunderts. Was kann man mit dieser

Erkenntnis anfangen und wie geht man damit um?

Im Grunde hat gegenwärtig niemand von ihnen die Zeit, sich mit solchen Träumereien zu befassen. Sie sind für Antworten darauf viel zu aufgeregt. In künftigen Zeiten ihrer aufgewühlten Freundschaft wollen beide einfach weg, weit weg in ein fernes Land, um das neue Jahrtausend zu begrüßen.

Um drei Uhr dreißig klingelt der Wecker. Nun geht alles sehr schnell an diesem historischen Morgen. Noch bevor der Zeiger auf vier Uhr springt, sind ihre Sachen gepackt und sie stehen mit ihren zwei Koffern im Hausgang bereit zum Gehen.

Kerstin und Tommy reisen liebend gerne. Es ist bisher ihre fünfte Reise, die sie gemeinsam machen. Aber diese wird eine ganz besondere werden. Sie fliegen auf eine Insel, auf der sie vorher noch nie waren. Dort werden sie beide das neue Jahrtausend begrüßen und mit diesem hoffentlich speziellen Gruß im Gepäck wieder nach Hause fliegen.

Das ist etwas Außergewöhnliches, vielleicht sogar Philosophisches! Genauso gerne machen sie auch viele andere Dinge, die ihnen ebenso viel Spaß machen.

Heute ist ein simpler, normaler Dienstag. An diesem düsteren Dezembermorgen liegt etwas Neuschnee auf den Dächern. Auch auf dem Autodach liegen etwa fünf Zentimeter pulvriger Schnee. Tommy wischt ihn sanft mit der Hand weg. Das war wohl das letzte Mal in diesem Jahrhundert, dass er den Pulverschnee wegwischen muss, geht es ihm durch den Kopf. Sie fahren mit dem Auto nur ein paar hundert Meter zur nächsten S-Bahn-Station.
Beide freuen sich schon sehr auf ihren gemeinsamen Urlaub auf Lanzarote und sind glücklich, dieses gemeinsame Ziel ausgesucht zu haben. Ihr Weg ist das Ziel, so das vorläufige Fazit.

Nun stehen sie am Bahnsteig bereit für diesen ersten Schritt ins neue Jahrtausend. In Kürze wird die S-Bahn kommen. Das Signal steht bereits auf Grün. Schnell macht Tommy noch einen Schneeball und wirft ihn auf das große Zigaretten-Werbeplakat von Camel jenseits der Schienen. Nun fährt auch schon der Zug ein. Kerstin wirft ihren Schneeball noch schnell auf das Schild mit der Aufschrift „München". Etwas hastig schieben sie beide Koffer in den Zug, die Türen schließen sich, die S-Bahn fährt los in Richtung Flughafen.

Sie sitzen beide im Abteil der „Hoffnung" und betrachten durch das Zugfenster die graue Landschaft, die an ihnen vorbeirauscht. Nun reisen sie endgültig ins neue Zeitalter. Es gibt kein Zurück mehr. Es ist angenehm warm im Zug. Momentan sind beide noch die einzigen Fahrgäste in diesem Wagen. Stumm blicken sie um sich herum und fragen sich, ob die meisten Menschen am Millenniums-Event wohl zuhause bleiben.

Endlich hält der Zug an der nächsten Station. Einige neue Fahrgäste steigen ein. Aber werden sie ebenfalls abfliegen oder nur am Flughafen arbeiten? Beide wissen es nicht. Kurz vor fünf Uhr erreicht die S-Bahn das Flughafen-Terminal. Im Hauptgebäude checken sie bei Condor ein. Das geht alles in Minutenschnelle. Die Koffer verschwinden auf dem Förderband in den dunklen Tunnel. Kerstin und Tommy erhalten die Bordkarten und sitzen nun nach der Ticketkontrolle wie geplant in der Espresso-Bar und genießen den Cappuccino und den Tee mit den Weihnachtsplätzchen von zuhause.

Jetzt heißt es nur noch warten auf den Flug ihrer Träume. Endlich hinaus in die Welt der Sonne, des Sandes und der Herzen. Hinaus auf die sonnige Insel Lanzarote und hinabtauchen in eine ganz andere Welt, ohne Stress, ohne Schnee und Termine. Ja, es ist ihre Welt der Vorfreude, der Erholung und der Zukunft.
Endlich wird der Flug nach Lanzarote durch den Lautsprecher aufgerufen. Sie

bekommen beim Boarding genügend Zeitungen und Hefte zum Lesen und sitzen im Ferienflieger ganz brav in der achten Reihe am Fensterplatz und harren auf den Start. Ebenso warten die anderen Fluggäste geduldig mit all ihren Hoffnungen und Träumen von der Sonne, vom Strand und vom Meer auf den Abflug.

In der realen Wirklichkeit steht das Flugzeug bei heftigem Schneetreiben auf dem Rollfeld und kann nicht starten. Es muss noch enteist werden. Langsam rollt die Boeing 737 los und bekommt endlich den Startschuss für die Enteisung. Überall wird der Jet gründlich abgespritzt, so dass man am Fensterplatz durch das kleine Flugfenster fast nichts mehr sehen kann, denn es ist nun voller Schaum. Endlich hören sie vom Kapitän persönlich, dass alle startklar sind.

Nun rollt die enteiste Boeing zur Startbahn. Dort steht sie nun, die enteiste Maschine und ihre Triebwerke heulen auf. Doch das Flugzeug scheint irgendwie am

Boden festzukleben und alle Fluggäste fragen sich warum.

Wieder spricht der Kapitän zu den Passagieren, dass die Crew noch auf das Take-off vom Tower warten muss. Als würden die Fluglotsen die Zeit zurückhalten wollen, um ihnen zu sagen: „Bleibt doch lieber hier!“

Mit geballter Kraft heulen die Triebwerke erneut auf an diesem dunklen Morgen, aber der Vogel bleibt immer noch schwankend am Boden stehen.

Geduldig schauen die Passagiere aus den Fenstern und fragen sich, was wohl mit dem Start in den Süden los ist. Leichter Schnee weht erneut über das enteiste Flugzeug. Noch hält die Kraft der Bremsen das Flugzeug am Pistenanfang am Boden.

Plötzlich hört man aus den kleinen Lautsprechern ein leichtes Knacken und für jedermann hörbar ein markantes „Take-off“ und der Vogel schießt augenblicklich mit voller Kraft über die Startbahn hinaus, hebt steil nach oben ab mit Kurs auf Lanzarote.

Etwa drei Flugstunden später tauchen am Horizont die Kanarischen Inseln auf. Im Sommer dieses Jahres sind Kerstin und Tommy noch über Lanzarote hinweggeflogen, um auf Fuerteventura Urlaub zu machen. Doch diesmal landet das Flugzeug auf dem Aeropuerto de Lanzarote.

Schon die ersten Eindrücke nach der Landung machen ihnen klar, welche Unterschiede sich hier ergeben. Unglaublich schön und sanft präsentiert sich diese reizvolle Insel. Viele Brauntöne konkurrieren mit dem üppigen Grün der Palmen und vor allem den Grautönen der Felsen und der steilen Vulkane. Da ist alles dabei, was man sich so vorstellt, von hellen Tönen bis Tiefschwarz. Mühelos erreicht der Bus das Hotel Playa Park.

Am nächsten Tag ist es morgens noch etwas kühl, aber danach angenehm warm. Kerstin und Tommy spazieren am Strand von Las Costas entlang, am Hotel Antonio vorbei. Dort ist der wunderschöne Strand mit herrlichen Palmen bewachsen und lädt zum Verweilen ein. Auch am nächsten Tag scheint nur teilweise die Sonne. Gerne würden beide noch etwas unternehmen und sich die Insel etwas genauer anschauen.

Ausgerechnet heute, am allerletzten Tag des zwanzigsten Jahrhunderts, am Freitag, den 31. Dezember 1999, mieten sie sich dann kurzentschlossen ein Auto vom Anbieter „Elisabeth".

Als erstes Ziel steuern sie Jameos del Aqua an und besichtigen dort die atemberaubenden Höhlen.

Das Feuer der Erde schuf eine Insel der Naturwunder, heißt es im Reiseführer. Da sind sie sicher gespannt, ob das stimmt!

Und in der Tat ist es so! Was sie hier in unmittelbarer Nähe der Höhlen sehen, ist ein faszinierender Landschaftsgarten ohnegleichen. In unterirdischen Höhlen

floss die Lava genau hier an dieser Stelle ins Meer. Es bildeten sich Luftkammern, so dass man heute durch die entstandenen Hohlräume sozusagen auf dem erstarrten Lavastrom gehen kann.
Durch zwei große Einbrüche (Jameos) in der Lavadecke kann man nun, Millionen Jahre später, von oben herab in den ehemaligen, erkalteten Vulkanstrom hinuntergehen. Es ist vor allem dem spanischen Künstler César Manrique zu verdanken, dass diese wundervolle Jameos del Agua für die Nachwelt gerettet wurde. Noch in den 1960er-Jahren nutzten die Bauern die Öffnungen als Müllhalde.

Kerstin und Tommy steigen durch einen breiten Trichter dessen Wände mit subtropischen Pflanzen bewachsen sind, in die Höhle hinab. Unten stehen hohe Palmen und viele andere grüne Pflanzen. Daneben ein verwunschener Salzsee.

Von allen Seiten fällt das Tageslicht in die Höhle. Im See leben weiße Minikrebse. Da sie ausschließlich im Dunkeln leben, haben sich ihre Augen im Laufe der Evolution vollständig zurückgebildet. Sie sind demnach blind. Man geht in kleinen Gruppen durch eine weitere Tunnelröhre ins Innere der Höhle. Aus den Lautsprecherboxen ertönen dezente esoterische Klänge. Bald verliert man als Besucher jedoch durch verschiedene abzweigende Gänge die Orientierung.

Man ist in einer Traumwelt voller Überraschungen angekommen, wie sie bisher den Touristen nicht bekannt war. Weiter vorne in der Tiefe der Höhle erreicht man einen weiteren unterirdischen See mit einer magischen Spiegelung. „Wir befinden uns nun schon unter dem Meeresspiegel", erklärt der Vulkanführer unserer Gruppe. Unter dieser gigantischen Luftblase, in der uns im Moment befinden, strömte einst die glühend heiße Lava vom Vulkanschlund her bis hinab in den Atlantik.

Überall an den Wänden erkennt man noch deutlich die Fließspuren der erkalteten Lava. Auch am Boden ist das alles

noch gut erkennbar. Alle Besucher sind fasziniert von so viel Naturschauspiel und müssen erst mal begreifen, wo man sich augenblicklich befindet.
Nach dieser spektakulären Besichtigung fahren sie weiter in den äußersten Norden von Lanzarote bis Mirador del Rio. Von einem der schönsten Aussichtspunkte der Insel kann man durch Panoramascheiben auf die Nachbarinsel Graciosa blicken.

Sie ist heute teilweise in Nebel getaucht und man erkennt nur noch einige Umrisse. Die Isla Graciosa, „die Anmutige", steht unter Naturschutz. Dort lebt außer den Tieren niemand, steht auf einer Tafel. Auf der Rückfahrt finden sie noch auf einer Anhöhe eine riesige Schrift in weißen Lettern „FELIZ 2000" (Frohes 2000) und fotografieren diese ausgiebig. Unmittelbar davor entdecken Kerstin und Tommy Maria und Josef mit einem Esel. Darunter steht: Feliz Navidad (Frohe Weihnachten).

Auf der Rückfahrt essen sie noch in einem kleinen Städtchen Kartoffeln mit Omelette und grünem Salat. Am Abend fallen beide nach ihrer Rückkehr total müde ins Bett und schlafen gleich ein.

Um 23 Uhr weckt Tommy erschreckt Kerstin auf! Im Fernsehen sehen sie live, wie in Deutschland schon das Millennium gefeiert wird. Durch den Zeitunterschied haben beide noch eine Stunde Zeit, bis das neue Jahrtausend auch sie hier auf Lanzarote erreicht!

Schnell packen Kerstin und Tommy alles Notwendige für den Millennium-Event in ihr Körbchen und suchen sich schnell ein Plätzchen unter den Palmen am Playa de los Pocillos, in der Nähe des Hotels Antonio. Sie haben alles dabei: Sekt, Gläser, Kamera, Fotoapparat, etc. Das Millennium kann also kommen.

Komischerweise hatte Tommy sich noch gar keine Gedanken darüber gemacht, was dieses Millennium für ihn persönlich zu bedeuten hat. Beide befinden sich in einer Zeitschiene, wo man glaubt, dass

sich nun vieles verändern wird. Wo Zukunftsforscher schon im Vorfeld allerhand Änderungen angekündigt haben. Das Jahrtausendereignis steht unmittelbar bevor und im Moment können sie nichts anderes tun, als warten. Das klingt in diesem Moment schon etwas grotesk, aber was hätte man anderes tun können, als sich viel Zeit lassen.
Gespannt schauen beide immer wieder auf die Uhren und machen den Zeitvergleich. Noch drei Minuten. Tommy schaltet nun seine Video-Kamera ein, um dieses Ereignis für alle Zeiten festzuhalten. Seine Nikon-Kamera hält er fest in den Händen, um den ultimativen Augenblick des Millenniums nicht zu verpassen und ihn als Jahrtausendfoto festzuhalten!

Es ist schon ein unglaubliches Gefühl, das einem im Moment der Anspannung durch den Körper schleicht. Man wartet gespannt auf etwas ganz Außergewöhnliches, weiß aber nicht genau, was es denn sein wird. Die Uhren ticken immer schneller und langsam wird ihnen beiden bewusst, dass der Punkt des „No Return“ gekommen ist.

Die Nacht ist kühl und zum Teil mit Wolken verhangen. Im Hotel Antonio hören sie die Hotelgäste, wie sie den Countdown auf deutsch bis Mitternacht herunterzählen. „Neun, acht, sieben, sechs, fünf, vier, drei, zwei, eins, null!“ Und endlich ist es auch hier auf Lanzarote soweit: Mitternacht! Millennium! Das Jahr 1999 ist zu Ende. Wir schreiben nun ab dieser Sekunde das Jahr 2000!

Nichts rührt sich! Dort unten bei ihnen am Strand herrscht Totenstille. Kerstin und Tommy stoßen an, küssen sich und wünschen sich gegenseitig alles Liebe und Gute für diese außergewöhnliche Zukunft. Beginnt jetzt das Glück in diesem kleinen Moment? Es ist einfach nur ein kleiner Augenblick der Stille und der Gelassenheit, der unseren Geist und unsere Seele beflügelt. Als erstes fallen Tommy die Worte von Neil Armstrong ein, die er sprach, als er als erster Mensch den Mond betrat: „Es ist nur ein kleiner Schritt für einen Menschen, aber ein Riesensprung für die Menschheit."

Das würde doch heute um Mitternacht auch passen, denkt man sich. Sie machen symbolisch diesen Schritt im Sand. Die Zeit für neue Schritte ist gekommen und jedes Ziel erreicht man mit dem ersten Schritt. Man hat nun dieses beklemmende Gefühl, in der Vergangenheit gelebt zu haben und jetzt augenblicklich in der Zukunft zu sein!
Nach ein paar Minuten schießt endlich zwischen den Palmen eine einsame Rakete in den Nachthimmel. Überall hört man nun die vielen Menschen, wie sie rufen und feiern. Tommy wirbelt Kerstin am Strand durch die Luft und nimmt sie fest in den Arm. Natürlich wollen sie auch gemeinsam das neue Zeitalter antreten. Tommy schenkt Kerstin in diesen Minuten einen silbernen Anhänger mit der Schrift „2000" sowie ein Glücksschweinchen aus Marzipan.

Kerstin schenkt Tommy erneut einen Millenniumskuss und schwenkt dann ganz euphorisch die mitgebrachten Wunderkerzen. Alles ist so neu in diesem Moment, dass man unsicher ist, was man zuerst als ein gutes Omen machen möchte. Später werden sie dann sicher noch viel Freude daran haben, dort am Strand von Lanzarote das neue Jahrtausend empfangen zu haben. Und es wird kaum mehr eine Rolle spielen, was man zuerst gemacht hat. Ob Kuss, mit Sekt anstoßen oder Kerstin im Sand umherwirbeln, alles wird nicht mehr so wichtig sein.

Kerstin und Tommy packen schnell alles zusammen und machen sich auf den Weg zur Einkaufsmeile. Auf der Uferstraße in Puerto del Carmen herrscht reger Verkehr und einige Autos hupen in der Nacht den Millenniums-Gruß in die Menge. Ganze zwei Stunden lang laufen beide die Promenade entlang und empfangen so das neue Jahrtausend. Überall sieht man glückliche, lachende Gesichter, fröhliche und hüpfende Teenie-Gruppen sowie unzählige jubelnde Touristen.

Fremde, Freunde, Einheimische, Ausländer, ob jung oder alt, alle umarmen sich gegenseitig im Taumel dieses Millennium-Traumes.

Nun wollen Kerstin und Tommy sich nach gut zwei Stunden des Freudengesangs gerade auf den Nachhauseweg machen, als plötzlich unten am Hafen ein großes Feuerwerk entfacht wird. Gebannt bestaunen sie noch die vielen Raketen und Böller, die eine gigantische Feuerpracht in den Millenniums-Himmel zaubern. Überall hört man die Massen von Menschen, wie sie nach jedem Knall, „Ah" und „Oh" rufen!
Erneut stoßen sie mit ihrem mitgebrachten roten Sekt an. Danach machen sich beide gegen drei Uhr früh endgültig auf den Heimweg. In einer hübschen Eisdiele am Ende der Promenade genießen sie noch gemeinsam ein leckeres Vanille-Eis mit Erdbeeren und Sahne.

Beide fragen sich, wie ein Gedankenblitz, was sich in diesem Moment, in diesen

Stunden alles geändert hat. Man weiß gerade in diesem Augenblick keine Antwort. Im Kalender sind nun die vielen Neunen und die Eins verschwunden.

Nun steht eine Zwei am Anfang und danach kommen vier Nullen. Diese „Zwei", das sind natürlich Kerstin und Tommy und die macht sie stark. Die Nullen bedeuten einen Neuanfang im Leben und einen Blick nach vorne. Egal, wie man auf diese neue, magische Zahl 2000 schaut, man erkennt nur Positives.

Sie fühlen sich an diesem Samstagmorgen, dem 1. Januar des Jahres 2000, mitten drin im Leben und doch scheinbar erst am Anfang. Es ist ein Neubeginn, ein Startschuss in eine Zukunft für sie beide. Ein bisschen haben sie heute schon damit angefangen. Es ist ja nur ein neuer Tag, aber eben auch ein neues Jahr, ja, eben auch ein neues Jahrhundert und eine scheinbar neue Zeit und noch vieles mehr. Es ist einfach Millennium 2000.

Von einem Aufbruch in ein neues Zeitalter könnte man jetzt sicher noch nicht sprechen, dazu ist es einfach noch zu früh. Es ist ein Start und nicht mehr, einfach ein Neubeginn für alles. Sie werden natürlich versuchen, das Beste daraus zu machen.

Es gäbe ja noch so viele Worte, die man für dieses Ereignis verwenden könnte und die diesen Moment noch viel besser hätten beschreiben können. Aber alles ist noch so frisch und beide müssen sich selber erstmal an das alles gewöhnen.

Kerstin und Tommy haben ja noch so viel Zeit, um in der Folgezeit noch die richtigen Worte dafür zu finden. Sie schmieden zusammen ja noch so viele Pläne, bei denen man später mit den superschönen Beschreibungen und Empfindungen diesen Tag noch ausgiebig ehren werden.

Gerne lassen sie sich noch etwas Zeit, um das bestmögliche Ergebnis später einmal in Gedanken Revue passieren zu lassen.

Zuhause angekommen, fallen beide geradezu todmüde ins Bett. Es ist ihnen wahrscheinlich in diesem enorm seltenen Augenblick gar nicht richtig bewusst, dass sie nun ja in den soeben verbrachten Stunden im neuen Jahrtausend gelandet sind und dass alles, was bisher war, seit Mitternacht in die Vergangenheit katapultiert wurde.

Nachdem sie ausgeschlafen haben, fragt Kerstin Tommy zum Spaß: „Den wievielten haben wir denn heute?"

Erst jetzt fällt Tommy ein, dass er den neuen Millenniums-Kalender zuhause vergessen hat! Aber Tommy kann Kerstins Frage trotzdem mühelos beantworten.

Tommy zu Kerstin:

„Heute ist Samstag, der erste Januar im Jahre 2000. Wir sind auf Lanzarote, in Puerto del Carmen!"

Das klingt schon etwas komisch, so früh am Morgen. Sie gehen zum Frühstücken und lassen vorerst ihre Seelen baumeln. Ein Tässchen Kaffee mit Müsli bringt beide schnell wieder in die Spur des neuen Jahrtausends.

Kerstin und Tommy entschließen sich, an diesem ersten Tag des Jahres 2000 mit ihrem Mietauto auf die Vulkantour zu starten. Das Wetter ist prima und lädt geradezu zu neuen Entdeckungen ein. So ein Ausflug zu den Feuerbergen wäre nun sicher gerade das Richtige.
Also fahren sie los ins neue Glück. Was ist das für ein atemberaubender Anblick, schießt es Kerstin durch den Kopf. Kilometerweit fahren beide im Nationalpark Timanfaya durch ein nie enden wollendes schwarzes Lava-Feld. Am Horizont türmen sich Berge, Vulkane und Hügel in extrem abstrakten Farben von braun bis hin zu tief schwarz.

Im Jahre 1730 kam es an dieser Stelle zu einem fürchterlichen Vulkanausbruch und der dauerte ganze sechs Jahre lang. Die Lavaströme von damals, die man hier heute noch sieht, bedecken etwa ein Viertel der gesamten Insel.

Soweit das Auge reicht, sieht man nur erstarrte, schwarze Lava. Sie fahren mit dem Auto mitten durch diese Wüstenlandschaft über eine kleine, asphaltierte Straße, wo früher kleine Ortschaften und Gehöfte existiert hatten. Der Lavastrom soll ungefähr 420 Häuser unter sich begraben haben.

Dort auf den Lavafeldern gibt es heute weder Bäume noch Sträucher. Die Farbe Grün scheint hier geradezu ausradiert. Die Montañas des Fuego, „die Feuerberge", lösen bei ihnen ein beklemmendes Gefühl aus, je näher sie ihrem Ziel kommen. Überall gibt es vom Straßenrand aus sichtbare, erloschene Vulkankegel zu sehen. Genau hier, an dieser markanten Stelle, ereignete sich tatsächlich eine der größten Naturkatastrophen der jüngsten Erdgeschichte.

Das ist wohl das größte Lavafeld der Welt, das beide gerade mit ihrem Wagen durchqueren. Das ist einfach total verrückt, denkt man sich.

Langsam fährt Tommy zum Eingang eines Vulkankegels hinauf. Sie sind die Ersten auf dem riesigen Parkplatz. Die letzten paar Meter bis zum Museum geht man zu Fuß.

Beide müssen noch auf den Einlass warten. Langsam kommen die Touristen den kleinen Hang hinauf. Draußen vor dem Einlass gießt ein Mann einen Eimer voll Wasser in eine kleine Öffnung am Boden und nach ein paar Sekunden schießt eine riesige Wasser-Fontäne in die Höhe.
Man spürt förmlich die Hitze im Untergrund. Nach dieser Vorführung wird jedem Besucher klar, dass er sich auf einem noch aktiven Vulkan befindet. Für ein Foto-Shooting wird diese atemberaubende Präsentation einige Male wiederholt.

Im Hauptgebäude gibt es einen Stein-Brunnen, in den man tief hineinschauen kann. Doch anstelle des Wassers sieht man direkt in die Glut des großen Vulkans. Die Hitze, die von unten emporsteigt, ist enorm. An der Öffnung ist ein

Gitter angebracht, worauf man Fleisch grillen könnte.

Seit mehreren hundert Jahren ruht dieser Vulkanriese. Er könnte jedoch zu jeder Zeit wieder ausbrechen. Der Boden, auf dem man steht, ist ebenfalls glühend heiß. Noch nie im Leben haben Kerstin und Tommy so wahrhaftig in einen Vulkanschlund geblickt wie gerade eben. Das ist ein Event, den man sein Leben lang nicht vergisst.

Danach geht ihre Tour weiter zur Lagune „El Golfo“ und dort besichtigen sie den smaragdgrünen Vulkan. Er sitzt direkt an der Küste mit seinem giftgrünen Wasser. Es ist im Grunde auch ein erloschener Vulkan, der da sichelförmig in einem Bogen am Strand liegt. Eine Hälfte des Vulkans ist mittlerweile im Meer versunken. Der Kontrast zwischen dem pechschwarzen Lavasand und dem tiefblauen Atlantik könnte nicht größer sein.

Nachdem Tommy den extrem farbigen Vulkan von allen Seiten aufgenommen hat, geht die Fahrt weiter nach Yaiza.

Unterwegs legen beide nochmal einen Zwischenstopp an einer einsamen, steilen Bucht ein und suchen dort die berühmten grünen Glückssteine. Und siehe da, dort liegen sie zu Dutzenden am Strand herum. Mit vollen Taschen geht es weiter.

Allerorten gibt es strahlend weiße Häuser, so wie es sich der Künstler César Manrique immer schon gewünscht hatte. Auf den Fensterbänken und am Boden der weißen Häuschen blühen strahlend rote Geranien. Viel Grün schmückt den Weg durch die kleine Einöde, die sich mitten auf der Insel befindet. Mit diesen wunderschönen Erinnerungen und mit den Glückssteinen im Gepäck kehren sie wieder heim in ihr Appartement nach Puerto del Carmen.

Nach der anstrengenden und heißen Fahrt streichelt Kerstin so zärtlich Tommys Bauch, als würden Schiffchen darauf fahren. Das ist jetzt genau das Gewünschte, was man sich von so einer Glücksfahrt erträumen kann. Tommy lässt alle Müdigkeit aus seinem Körper strömen, schließt dabei die Augen und fühlt sich dabei wie ein erloschener Vulkan.

In aller Ruhe waschen sie noch die Steine und betrachten sie im neuen Glanz. Irgendwie hat ihre schimmernde grüne Farbe auch etwas mit den Vulkanen zu tun. Jeder Glücksstein wird in Watte gepackt und bis zum Rückflug im Schrank verstaut.

Für den nächsten Tag planen sie einen Strandtag einzulegen, um die vielen Eindrücke vorerst etwas wirken zu lassen. Bei einem Vanille-Eis lassen Kerstin und Tommy den Tag nochmals Revue passieren. Sie erzählen sich gegenseitig, was ihnen am besten gefallen hat und was sie gerne nochmals sehen würden. Also der Blick in den Vulkan war sicherlich nicht nur Tommys, sondern auch Kerstins Highlight dieser faszinierenden Vulkan-Tour.

Fast hätte Tommy das Wichtigste des Tages vergessen: Zeitungen! Was schreiben

Journalisten wohl über das Jahr 2000 und wie feierte die Welt dieses Ereignis? Gibt es schon Berichte über die weltweiten Feierlichkeiten? Schnell besorgt er sich die ersten Pressemitteilungen im Supermarkt. Jedoch erst am Sonntag gibt es dann weitere deutsche und ausländische Presseerzeugnisse.

Die einzige Zeitung, die es am Abend des 1. Januar 2000 zu kaufen gibt ist: Depor mania de Canarias. Die Schlagzeile lautet: „Nuestros deseos para el 2000…con estos efectos..
Aber schon am morgigen Sonntagnachmittag, als die ersten Presseerzeugnisse eintreffen, überschlagen sich regelrecht die Schlagzeilen in den Zeitungen. Bild am Sonntag – die Zeitung 2000 titelt: „Die Welt feiert ins neue Jahrtausend. Hurra, wir haben es erlebt! In der Holiday Gazette & Tourist Guide steht: „Amazing Intentions 1,000 years past Tomorrow`s World Children are the future. Welcome to the next Millennium 2000."

Kinder aus aller Welt sind auch im Sonntag-Express aus Köln das Titelthema: „Willkommen in der Zukunft“, heißt es da und es sind auf der ersten Seite siebzehn Babys abgebildet, die am 1. Januar um Mitternacht zur Welt kamen.

Sunday People schreibt: “First Millennium Baby born 15 secs past midnight on Januar 1st, Year 2000. Yours is the world and everything that`s in it.”

Das sind natürlich die Schlagzeilen der Zukunft - ganz ohne Frage. Doch wer hätte wohl vor einhundert Jahren gedacht, dass dies die Schlagzeilen des neuen Jahrtausends werden würden?

Behutsam versteckt Tommy seine Schätze im Schrank. Was sie einmal in ferner Zeit noch Wert sind und welche Erkenntnisse man daraus ziehen wird, bleibt vorerst ein großes Geheimnis. Er blickt aus dem Fenster und schaut zum Himmel empor.

Moment, da war doch noch etwas, schießt es Tommy wie ein Geistesblitz

durch den Kopf. Genau, das Jahr 2000! Erleben sie hier nicht augenblicklich und hautnah den Mythos von der „gefälschten Geschichte“? Tommys Gedanken fragen sich: Haben uns nicht schon immer Forscher und Wissenschaftler, Scientologen jahrzehntelang ganz andere Szenarien von den Utopien der Zukunft und für das Jahr 2000 erzählt?
Müssten wir Menschen nicht schon längst Kolonien auf dem Mars haben? Oder zu anderen Sonnensystemen unterwegs sein? Müsste der Mensch nicht schon längst auf dem Mond wohnen und ständige Mondbasen betreiben und die Schwerkraft besiegt haben? Müssten wir nicht schon längst bis zum Jahr 2000 Raketen mit einem Atomantrieb haben? Wie steht es zurzeit mit der Cyborg-Technik, den Energiesendern, mit möglichen Kontakten zu den Außerirdischen? Oder noch spektakulärer: Wann kommt endlich die Unsterblichkeit?

All diese visionären Zukunftsvorstellungen prägten Tommys Leben und wurden alle, und noch viele andere, für das Jahr 2000 vorhergesagt. Und nun das: Neugeborene Babys zieren weltweit die Titelseiten der Zeitungen! Man ist schon ein bisschen enttäuscht über so viel Optimismus, der uns eine lange Zeit vorgeführt wurde. Aber man gehört nun nicht zwangsläufig zu den Losern. Es war früher nur etwas übertrieben worden, was die Prognosen über die Zukunft von uns Menschen betraf. „Maßlos übertrieben" wäre der korrekte Begriff für diese Zeit.

Die Erdenbürger sind fröhlich und lachen. Aber ist lachen nicht besser als Atomraketen? Jeder Einzelne von ihnen ist voller Zuversicht. Ist ihre Teilnahme in künftigen Zeiten dadurch nicht viel besser, als etwa die Begegnung mit Außerirdischen?

Nun stehen Kerstin und Tommy mitten unter den jungen Menschen an der Schwelle des neuen Jahrtausends und nichts von alldem Vorhergesagten wurde wahr. Ehrlich gesagt, sind wir auch froh, dass nicht alles so kam, wie es vorhergesagt wurde.

Die Menschen leben momentan auch ohne diese Zukunftsvisionen in einer guten Welt, frei von virtuellen Träumen und frei von diesen prognostizierten technischen Errungenschaften. Ihnen geht es gut, den Leuten geht es gut, und alle wünschen sich nichts sehnlicher, als eine von Gott gesegnete Zukunft.
Überall auf den Straßen sieht man lachende Gesichter, fröhliche Menschen. Der Mythos der „gefälschten Geschichte" scheint nun endgültig Geschichte. Alle schauen nach vorn, was der nächste Tag bringt, was das neue Jahr zu bieten hat. Es lebe das Jahr 2000! Die Menschen spüren den Trend in eine hoffnungsvolle Zukunft. Sie alle sind am Boden der Tatsachen angekommen und freuen sich auf Neuentdeckungen in fernen Zeiten.

Die neuen Babys des Jahres 2000 spenden den Menschen überall auf der Welt die Hoffnung auf Frieden, die Wärme für ihre Herzen und die Kraft für ein glückliches Leben. Sie alle leben jetzt in diesem Augenblick und nur der zählt. Babys statt Mondbasen, das ist die Botschaft des Jahres 2000. Und das ist auch gut so.

Tommy zu Kerstin:

„Was ist das für eine fantastische Zeit, was für eine faszinierende Insel und was für ein supertoller Urlaub! Wenn das ein Traum ist, dann wecke mich bitte nicht auf und lass mich bis ins nächste Jahrhundert weiter träumen!“

Wieder zuhause angekommen fragt Kerstin Tommy: „Lieber Tommy, wie geht es dir denn im neuen Jahrtausend?“

Natürlich geht es ihm gut. Auch Tommy muss zuerst alles neu sortieren und wieder auf die Ebene der Wirklichkeit gelangen. So kann ihm der Übergang in eine neue Zeit gelingen.

„Ich merke, die Arbeit hat mich wieder und hier um mich herum ist alles sehr still. Gerne denke ich an die schöne Urlaubszeit zurück, obwohl sie mir heute schon wieder

ein wenig unwirklich erscheint. So langsam wird einem bewusst, wieviel sich in der letzten Zeit alles so verändert hat.

Heute würde ich gerne mehr darüber nachdenken und reden, aber die Zeit und die Umstände haben für mich einen anderen Plan. Man soll die Einsamkeit lieben, habe ich mal gelesen, aber ich weiß nicht, ob mir dies so ohne weiteres gelingen würde.
Den ersten Schritt im neuen Jahrtausend barfuß über den Sand zu laufen und Armstrongs Worte zu sprechen, schöner kann Zukunft nicht sein. Durch die erstarrte Lavahöhle zu wandern und ihr in den entstandenen Luftblasen bis unter das Meer hinaus zu folgen, was für eine Faszination!

Am ersten Millenniumstag über Lavafelder zu fahren und in den Schlund eines Vulkans zu schauen. Einen Kübel voller Wasser in seinen Mund zu gießen und sich von der prächtigen Fontäne nassspritzen zu lassen. Das hat schon etwas von symbolischer Kraft für diese Zeit.“

Spanien - Gran Canaria Maspalomas

Juni 2000

Heute starten Kerstin und Tommy zu ihrer siebten gemeinsamen Urlaubsreise. Ausgeschlafen haben sie bis acht Uhr, dann holt Tommy beim Bäcker frische Brezen, Brötchen und eine Zeitung. Sie frühstücken ganz gemütlich und packen anschließend die letzten wichtigen Sachen in die Koffer. Um 10:30 Uhr fahren sie mit Tommys Auto nach Ismaning. Es ist ein schöner, sonniger Sonntagmorgen, als sie in der S-Bahn gemütlich zum Flughafen gondeln.

Einchecken des Gepäcks, Kaffee trinken, warten. Etwa eine halbe Stunde später als geplant erfolgt das Take-off. Ihre Boeing 757/300 hebt gegen 14:30 Uhr ab und fliegt direkt über die Stadt München in Richtung Schweiz. Sie überfliegt Zürich-Kloten, dann die Hauptstadt Bern und dreht danach ab und gleitet sanft über die Alpen in Richtung Spanien. Es ist überall herrliches Wetter. Nach viereinhalb Stunden Flug, so gegen halb sechs Uhr, landet die Maschine sanft auf Gran Canaria. In nur einer halben Stunde Fahrt bringt sie der Bus Nummer 69 vom Flughafen in die „Villa Eden“ nach Maspalomas. Die Anlage ist von vielen großen, dicken Palmen umgeben und hat einen Pool inmitten eines grünen Rasengartens.

Die „Villa Eden“ ist natürlich keine Villa, sondern auch nur eine kleine Hotelanlage und steht selbst mitten in einem riesigen Gelände, umgeben von anderen kleineren Hotelanlagen. Nur einen Steinwurf von hier entfernt liegen die berühmten Dünen von „Las Maspalomas“.

Zuerst erkunden beide bei einem kleinen Spaziergang die Umgebung, wobei Tommy noch kurz seine Kerstin mitten im Park der Villa Eden umherwirbelt. Das machen beide immer dann, wenn es ihnen am Urlaubsort besonders gut gefällt.

So, nun aber schnell hinauf zu den Dünen, denken sich beide und stapfen euphorisch den heißen Sand empor. Die Sanddünen erweisen sich als viel höher, als vorher gedacht, denn sie erheben sich bis zu zwanzig Meter hoch über den Meeresstrand.

Es ist 29 Grad warm an diesem schönen Sonntag. Kerstin und Tommy legen sich auf den heißen, feinen Sand der Düne und schließen dabei die Augen. Ein Traum ist wahr geworden – auf den warmen Sanddünen von Maspalomas zu liegen! So wunderschön kann Urlaub sein. Beide genießen noch eine Pizza und kehren dann todmüde zurück in ihre Villa Eden. Sie leuchtet weiß zwischen den Palmen wie ein kleines Märchenschlösschen. Sie wohnen auf 3C, Villa Eden, dritter Stock, in Maspalomas und direkt über ihnen befindet sich die FKK-Sonnenterrasse. Willkommen auf Gran Canaria! Das ist doch eine gute Adresse, oder?

Kerstin zu Tommy:

„Ja, das ist wahrlich eine gute Adresse, deswegen wohnen wir ja hier!“

Schon am ersten Tag überfällt sie eine Gruppe junger Leute mit einem Los-Gewinnspiel. Kerstin zieht ein Los aus dem Hut und gewinnt den ersten Preis! Bei diesem höchst fragwürdigen Spiel hat Tommys Lotterielos leider nur zwei richtige Zahlen. Aber das ist alles nur ein Schwindel, das merkt man sofort, denn überall bieten diese „Pärchen des Glücks“ den Urlaubern diese Lose an.

Es handelt sich dabei um das sogenannte „Timesharing“, bei dem man für teures Geld Appartements mieten kann. Sie verzichten auf den Hauptgewinn und gehen nicht zu dem vereinbarten Termin. Auch in den nächsten Tagen belästigen sie immer wieder solche Leute, die wollen, dass Kerstin und Tommy bei ihnen ein Los ziehen. Das ist sehr schade, denn dieses miese Spiel passt überhaupt nicht hierher, meinen beide augenscheinlich.

Ausgeschlafen stehen beide am Montag gegen acht Uhr auf. Tommy holt Brötchen aus dem Brotkorb, der im Garten der Villa Eden für die Bewohner zur Verfügung steht. Frühstück auf dem Balkon, nahezu wie bei ihnen zuhause, was für ein schönes Gefühl. Tommy trinkt Kaffee - Kerstin Tee! Dazu Käse und die Butterwürfelchen, die noch aus dem Flugzeug vom Hinflug stammen. Die Sonne strahlt mit geballter Kraft und sie genießen einen herrlichen Blick auf die Palmenkronen und den Pool. Das ist schon etwas Individuelles, das ihnen dort das Leben verschönert.

Bei ihrer zweiten Orts-Besichtigungs-Tour schlendern Kerstin und Tommy am Strand entlang, an den mächtigen Dünen vorbei, ostwärts nach Maspalomas-City. Doch von einem „Zentrum“ ist dort nichts zu sehen. Im Gegenteil: Eine Ferienanlage liegt neben der nächsten, und das kilometerlang! Endlich erreichen sie Faro 2! Auf gut Deutsch: Shopping-Center! Im mächtigen Shopping-Center gibt es allerhand Geschäfte mit vielen Dingen, die man nicht zum Leben braucht. Kerstin kauft dort drinnen ein paar Postkarten, denn die braucht man unbedingt! Nach dieser ausgiebigen Shopping-Tour schlecken Kerstin und Tommy noch ein Eis.

Anschließend machen sie sich wieder auf den Heimweg in die Villa Eden und legen sich kurz zum Schmusen hin. Mit ihren Badetaschen machen sie sich dann erneut auf den Weg zum Strand.

Kerstin meint, es sei jetzt erst Mittag, aber es ist schon gegen sechs Uhr abends. Langsam beginnen schon einige Geschäfte zu schließen.

Dies stört sie jedoch wenig und sie gehen direkt zum Strand, erklimmen die Dünen, machen schöne Fotos. Dann legen sich beide in den warmen Sand und lassen sich von den Sonnenstrahlen verwöhnen. Die Wärme tut dem Körper gut, denn sie ist wie eine Massage der Natur. Sie steigt vom Boden auf und durchdringt den ganzen Körper. Ihnen gefällt diese Kraft der

Natur sehr gut und sie wollen gar nicht mehr weitergehen. Beide blicken auf das Meer und merken, was für ein wunderbares Geschenk das alles sein kann.
Nun knurrt ihnen der Magen nach leckeren Sachen! Im Nu beginnt schnell noch die Suche nach einem offenen Supermarkt und danach gibt's Picknick auf dem Balkon. Was für ein grandioser Tag!

Kerstin und Tommy sind gleichermaßen zwei Leuchttürme, die sowohl tagsüber, wie auch nachts leuchten, wenn es dunkel wird auf Gran Canaria. Es leuchten ihre Herzen, weil sie wissen, dass sie für immer zusammengehören. Faro 2 sind zwei Leuchttürme, deren Licht nie ausgehen wird.

Was kann man von diesem Ort noch sagen? Maspalomas ist genauer gesagt nichts anderes, als eine überbaute gigantische Steinwüste. Wären da nicht die wunderschönen Sanddünen vor den Hotels, würde der Ort wahrscheinlich in Kürze nicht mehr existieren. Die riesigen hereinbrechenden Wellen des Atlantischen Ozeans würden ihn im Lauf der Zeit verschlingen.

Kerstin und Tommy brechen nun zu ihrer dritten Expedition auf. Plötzlich entdecken sie mitten in diesem Steinmeer von Hotels und Häusern ein kleines eingezäuntes Grundstück.

Auf einem Schild davor steht: Reservas Naturales Especiales Dunas de Maspalomas. Naturschutzgebiet. Betreten verboten! Dieses „Flecklein“ ist viel kleiner, als eine Ferienanlage. Die Natur hat hier einen kleinen grünen Fleck geschaffen, den die Touristen nicht betreten dürfen. Noch weiter zum Dünenstrand hin ist ein Sumpfgebiet mit einem kleinen See. Auch hier steht ein Schild: Bitte füttern Sie nicht die Fische! Es könnte zu einer Überfütterung kommen und die Fische könnten sterben.

Beim genaueren Betrachten können sie jedoch keine Fische entdecken. Dieser Sumpftümpel hat weder einen Zufluss noch einen Abfluss. Jeder lebendige Fisch

wäre in diesem Tümpel schon längst hinüber, so ihr Fazit. Für dieses Naturfleckchen ist ihnen der Zutritt ebenfalls verwehrt. Doch Bauschutt abzuladen, scheint hier gestattet. Überall liegt meterhoch Schutt und Geröll um diesen Naturfleck herum.
Zuhause im grünen Garten planen Kerstin und Tommy ihre gemeinsame Zukunft. Sie sind der Meinung, dass sie bald heiraten könnten. Das Wunschziel für die Hochzeitsreise wären die Seychellen oder die Malediven. Sie können sich im Moment noch nicht genau entscheiden, auf welche Insel sie fliegen möchten.

Sie haben ja zusammen schon so viel besprochen, mal nachts um zwei Uhr im Café, mal am Strand oder auf der Ferieninsel Fuerteventura. Natürlich auch unter den Palmen im Garten der Villa Eden. Es waren schon besondere Gespräche, die sie miteinander führten und fast alle geplanten Träume wurden bisher wahr.

Kerstin meint zu Tommy, dass sie ja schon so gut wie verheiratet sind. Wo sie recht hat, hat sie recht, denkt sich Tommy ganz lässig.

Am heutigen Dienstag, dem 20. Juni im Jahr 2000, starten beide wieder zu einem Strand und zu den Dünen. Am Morgen drehte der Wind. So steht zusätzlich noch ein Wellenbad im Meer auf dem Programm. Da müssen die Badetaschen auf alle Fälle schon richtig gut gefüllt sein. Gleich nach dem Frühstück wandern die zwei Verliebten Kerstin und Tommy, frohen Mutes los zu ihrer „Lieblingsdüne“. Doch diese wunderschöne Naturdüne ist leider schon von anderen Badegästen besetzt!

Das ist egal, so nehmen sie einfach eine andere, denn es gibt ja genug davon. Die Sonne sticht vom blauen Himmel und heizt den Sand so richtig auf. Schnell stürzen sich die zwei in den kühlen Atlantik. Kerstin meint, wenn man mal drin ist, kann man es gut aushalten, denn am Strand ist es ja glühend heiß. Wie immer, kurz nach dem Mittag, wird es fast unerträglich mit der Hitze. So machen sie sich auf den Rückweg in den schattigen Park der Villa Eden. Unter den Palmen verliert dann die Zeit an Bedeutung. Ein unermessliches Glücksgefühl durchflutet jedes Mal ihre Körper, wenn sie dort auf dem saftig grünen Rasen liegen.

Nach dem Abendessen auf dem Balkon können sie noch mal ein bisschen schmusen und ratschen. Danach ist aber Fußballabend und Eisschlecken angesagt! Später sitzen beide gemütlich in einem kleinen Café und schauen im Open-Air-Fernsehen, wie Portugal gegen Deutschland spielt und schon zwei zu null vorne liegt. Aber zur gleichen Zeit verliert England. Überall starren die entsetzten Gesichter der stummen Zuschauer auf die Fernsehmonitore.

Tommy bittet Kerstin, ihr Eis nicht so schnell zu essen, denn das Spiel dauert noch 20 Minuten. Sie wollen ja nichts Zusätzliches mehr bestellen.

Aber zum Schluss verliert die deutsche Fußball-Mannschaft deutlich gegen die zweite Auswahl von Portugal mit null zu drei Toren. Somit ist Portugal im Halbfinale. England scheidet ebenfalls aus. Sie unterliegen Rumänien mit zwei zu drei!

Die Gewinnerin des Abends heißt jedoch Kerstin, denn sie ist hübsch, süß, verliebt und ein bisschen müde. Es war ein sehr schöner Tag für beide und sicher werden ihre geplanten Träume wahr. Vielleicht kommt ja alles so, weil sie sich es wünschen und weil beide es verdient haben. Eine so traumhafte Zukunft wie beide sie sich im Moment vorstellen, das wäre super und Tommys würde seine ganze Liebe Kerstin zum Geschenk machen.

Heute am Mittwoch, ist laut Kerstins Kalender „Markttag". Sie spazieren hinüber zum Shopping-Center und hinunter zum Markt. Der ist echt gigantisch. Die meisten Besucher aus der Umgebung kommen mit dem Auto, dem Bus oder mit dem Taxi. Vor dem Eingang zu den Hallen herrscht totales Verkehrschaos.

Überall Massen von Menschen, Autos, Bussen, Lärm und Gestank. Es ist drückend heiß an diesem Morgen. Schnell schlendern beide durch die kühlen Markthallen. Um diese herum gibt es auch noch viele Händler, die ihre Stände an der prallen Sonne aufgestellt haben. Nach etwa einer Stunde haben Kerstin und Tommy genug gesehen. Sie kauft bei einem Händler noch schnell vier Tangas für 100 Peseten. Nun gehen sie zu Fuß schnell ins Hotel zurück und leisten sich im klimatisierten Shopping-Center noch zwei kleine Eis-Becher mit kühlem Bitter Lemon und Agua Mineral.
Auf dem Heimweg bekommt Kerstin eine Einladung für eine Gran Canaria-Rundreise zugesteckt. Sie kostet für sie beide nur 975 Peseten. Also etwa neun Mark neunzig. Dazu gibt es gratis eine Videokassette, ein Geschenk, ein Essen und Kaffee und Kuchen.

Man ahnt es schon: eine Kaffee-Verkaufsfahrt! Wenn man hier einen Flyer für ein Schiff-, Auto- oder Busfahrt, für eine

Abenteuer- oder Actiontour auf Gran Canaria zugesteckt bekommt, beginnen alle Angebote mit dem Besuch des ältesten Gutshofs auf der Insel. Ja, das finden sie sehr seltsam und verzichten auf Tour.

Zu Hause in der Villa Eden gibt es dann ein schönes Picknick auf dem Balkon. Es geht Kerstin und Tommy auch ohne die Inseltour ganz gut.

Am Donnerstag wagen sie erneut, eine Dünenwanderung zu machen. Nach dem ausgiebigen Frühstück geht's los. Es wird wohl wieder ein heißer Tag werden, denn die Temperaturanzeige steht schon bei 29 Grad. Ein leichter Wind weht vom Atlantik her, der aber kaum Abkühlung bringt. Tommys Füße tun ihm schon ein bisschen weh, jedoch kommen beide am Strand entlang gut voran. Etwa auf dem halben Weg zwischen Maspalomas und Playa des Ingles schmerzen seine Füße noch mehr. Außerdem brennen auch seine beiden Hände sehr. Sie sind inzwischen von der Sonne feuerrot geworden. Das ist wohl ein echter Sonnenbrand!, meint Kerstin. Nach etwa einer halben Stunde Fußmarsch erreichen sie Playa des Ingles.

Oh Gott, denken sie sich, denn dort liegen Menschenmassen am Strand. Die Sonne sticht gnadenlos vom Himmel. Jetzt ist es schon über 33 Grad im Schatten. Sie bestellen im allerersten Café schnell ein Eis und kühle Getränke. Sie beschließen spontan, ihre Wanderung abzubrechen. Tommys Schmerzen an den Händen und Füßen sind nun unerträglich. Notarzt oder Villa Eden?, das ist jetzt die Frage.

Kerstin wickelt Tommys verbrannte Hände in die feuchten Badetücher und kühlt sie mit Eiswürfeln die sie aus den Getränken nimmt. Nach kurzer Erholungspause suchen sie den kürzesten Weg nach Hause.
Hände, Füße, alles brennt bei Tommy von Kopf bis Fuß! Mit buchstäblich letzter Kraft erreichen sie ihre Villa. Endlich können beide kühl duschen und ausruhen, danach unter den Palmen relaxen

und der Pool sorgt für sanfte Abkühlung. Krankenschwester Kerstin hat mit Tommy im wahrsten Sinne des Wortes alle Hände voll zu tun. Eincremen und kühlen im Halbstundentakt. Erst am Abend ist bei Tommys Sonnenbrand Linderung in Sicht. Es war wohl etwas unvernünftig, jeden Tag so eine Tour zu machen, denn sie sind ja diese hohen Temperaturen nicht gewöhnt. Aber Urlaub ist eben Urlaub. Wer denkt denn schon an sowas? Obwohl beide Vorsorge getroffen haben und von oben bis unten mit Schutzfaktor 25 eingecremt waren, kam es trotzdem zu diesen Verbrennungen.

Am Freitagmorgen steht plötzlich in Tommys Kalender: „Ich habe dich lieb, mein Schatz!“ Es ist Privat-Patienten-Tag! Ausruhen und entspannen ist angesagt. Beide verbringen den ganzen Tag im Palmengarten der Villa Eden. Genau genommen im Schatten der Palmwedel. Endlich mal lesen und entspannen und ein wenig träumen von ihrer Zukunft. Allem voran aber von ihrer baldigen Hochzeit. Das tut nicht nur den Seelen gut, sondern auch ihren Herzen und den Brandwunden.

Sommer bedeutet für Kerstin und Tommy im Freien zu sein, und im Einklang mit der Natur. Den Augenblick der Gegenwart zu genießen und an einem schattigen Plätzchen zu sich selber zu finden. Das ist Urlaub, wie beide ihn gerne bis auf das Äußerste zelebrieren.

Nachmittags gehen sie wie gewohnt zum Shoppen und entdecken dabei ein gigantisches Einkaufszentrum, das nur einen Steinwurf von ihrer Villa entfernt liegt. Dieses Einkaufszentrum nennen die Spanier „Varadero" oder so ähnlich.

Tommy zu Kerstin:

„Sind wir hier eigentlich noch auf Gran Canaria?"
Das fragen sich nicht nur Kerstin und Tommy, sondern wahrscheinlich auch die meisten anderen Touristen. Nur ein

paar hundert Meter von der kilometerlangen Dünenlandschaft von Maspalomas entfernt, steht dieser Koloss aus Stahl und Glas inmitten einer Steinwüste. Urbanisationen heißt das Zauberwort auf den Kanarischen Inseln. Ins Deutsche übersetzt bedeutet das auch: Es ist alles möglich, es gibt keine Vorschriften und man kann überall alles zubetonieren und besiedeln.

Links und rechts neben dem Einkaufszentrum stehen Beton-Giganten von Hotelanlagen, ohne jeglichem Vergleich zu andern Zentren geradezu spotten. Sie sind massiv überdimensioniert und verschandeln sichtbar die schöne Landschaft. Es sind, wie Kerstin es richtig formuliert, kleine individuelle Stadtteile, die um den schönen Strand herum wachsen. Der Tourismusboom wird da bis an seine Grenzen angekurbelt. Wer noch nie vorher da war, wie die beiden, der wird sich in Zukunft wundern, denn es gibt wirklich alles, was Menschen, Touristen,

Leute und Spekulanten im Urlaub brauchen: riesige Parkanlagen, hohe Rundbauten, Pools, Hotelkomplexe im Rohbau mit mächtigen Türmen, deren Etagen wie riesige Torten in den Himmel ragen.

Dazwischen hunderte von Bungalowanlagen. Diese noch namenlose Stadt ist erst im Rohbau, zeigt aber dem Betrachter schon ihr zukünftiges wahres Gesicht. Dann stehen sie vor dem Shopping-Center, das direkt hinter dieser „Neuen Stadt“ steht.

Im Inneren dieses Baus gibt es fast alles, wie bei ihnen in Deutschland: deutsches Bier, Schmuck, Kneipen, Shops, Rolltreppen, Bankautomaten, alles vom Feinsten.

Tommy fragt Kerstin:

„Sind wir da etwa im Olympia-Einkaufszentrum in München gelandet?“
Auf den ersten Blick schaut es fast genauso aus, mit nur einer einzigen kleinen Ausnahme: Das Zentrum ist um diese Zeit menschenleer! Überall hört man Mu-

sik aus den Boxen, überall gibt es Restaurants, Eiscafés, aber eben keine Touristenmassen, die sich durch diesen Tempel wälzen. Etwa die Hälfte aller Geschäfte hat schon mangels kauflustiger Gäste geschlossen oder hat noch nicht geöffnet. Vielerorts ist alles noch verriegelt. Man kann das gar nicht verstehen, denn es ist ja mitten im Sommer, in der Hauptsaison!

Wo stecken nur all diese Menschen, die normalerweise im Shopping-Center einkaufen? Ihre subjektive Analyse verläuft buchstäblich im Sande. Sie wissen die Antwort nicht auf diese Frage. Beide schlendern mit diesen ungelösten, strittigen Punkten weiter und setzen sich ins letzte Eiscafé in der langen Passage. Sie sind die einzigen Gäste. Nach und nach erkennt man doch, dass ein paar Menschen kommen. Aber es sieht doch schon ein bisschen gespensterhaft aus, wenn nur ein paar Leute in einem so großen Glaspalast sitzen.

Er präsentiert das Bild von einer großen virtuellen, kommerziellen Welt. Es fehlt ihm maßgeblich an der Atmosphäre, am Publikum und am Gesamtkonzept, so das schlichte Fazit. Gemütlich ist das hier nicht, in diesem Eiscafé. Kerstin und Tommy fragen sich, ob die Menschen das alles wirklich so haben wollen, wie es sich im Inneren präsentiert? Das wird sich wahrscheinlich erst in den nächsten Jahren zeigen, wenn die nächste Generation der Zukunft in diese Glaspaläste strömt.

Es kommen dann wahrscheinlich noch mehr Menschen nach Maspalomas und immer noch gigantischere Kommerzburgen werden dazukommen.

Zusammen werden sie es dann noch leichter schaffen, dass jegliche Gemütlichkeit in diesen Betongiganten gleich zu Beginn im kleinsten Keim erstickt wird. Man fragt sich erstaunt, wer will das eigentlich? Ohne Antworten auf diese Fragen zu finden, machen sich

Kerstin und Tommy gedankenversunken wieder auf den Heimweg.
Nicht weit davon entfernt hören sie Musik aus einem fremden Palmengarten. Spontan tanzen beide auf der Straße ein paar Schritte Rock ´n' Roll. Nur mit großer Anstrengung gelingt es Tommy über den Zaun zu gucken, aber er sieht nichts! Wahrscheinlich machen sie nur einen Soundcheck für den Abend, meint er. Diese mächtige Anlage befindet sich direkt gegenüber ihrer Villa Eden. Sie wollten dieses Hotel schon mal von innen besichtigen, haben aber den Eingang noch nicht gefunden.

Erst am nächsten Tag sind sie dann an der richtigen Stelle angekommen. Doch so ein gemütlicher Tanzabend, wie sie ihn noch auf Fuerteventura erlebt haben, ist ihnen hier an diesem Strand nicht vergönnt. Sie lassen ihren Plan mit der Besichtigung sausen.

Jede Urbanisation steht für eine eigene Stadt, und fremde Gäste sind dort unerwünscht. Überall steht Security-Wachpersonal mit Handys und kontrolliert die Eingänge. Um hinein zu kommen gibt es einen Sicherheitscheck, schon fast wie am Flughafen. Um ins teure Fünf-Sterne-Restaurant zu kommen, braucht man eine Chipkarte. Sie gehen lieber wieder in die Villa Eden. Da steht heute wieder Mal relaxen auf dem Programm.

Der heutige Samstag, der 24. Juni, wird zu einem besonderen Tag, denn es wird ihr Dreifach-Wiederholung-Tag! Erstens Markt-Tag, zweitens Dünen-Tag, drittens Shopping-Tag! Gleich nach dem Frühstück bis zehn Uhr sind sie schon auf dem Markt und durchkämmen ihn auf der Suche nach Tangas.

Es gibt mal hier welche und mal da. Einmal vier Stück für 1000 Peseten, dann manchmal wiederum nur fünf Stück für ebenfalls 1000 Peseten! Kerstin kauft zuerst ein paar Tangas, diesmal im 10er-Pack! Man muss nur noch die verschiedenen Farben aussuchen. Am Schluss hat

sie 23 Tangas und für Tommy drei Unterhosen ergattert. Danach kaufen sie noch für 1000 Peseten von den besten Tomaten sowie etwas Schinken direkt vom deutschen Metzger aus Regensburg. Für alle Leser, die es bis jetzt noch nicht wissen: Beide sind auf Gran Canaria unterwegs!
Genauso, wie an den anderen Tagen, gehen sie nun noch in das neue Shopping-Center zum Eis essen. Tommy bestellt mit deutschem Akzent auf Spanisch: „Una helado crocante e un Cappuccino, porfavare!"

Der Kellner fragt ihn dann ganz trocken auf Deutsch:

„Mit oder ohne Sahne?" Oh, Gran Canaria, del Germania, ich liebe Dich!

Tommy hat sein Eis mit Sahne noch gar nicht fertig gegessen, sein Cappuccino steht noch zum Genießen bereit, da wühlt Kerstin schon in den Einkaufstüten herum und ein Tanga nach dem anderen landet neben seiner Cappuccino-Tasse. Da Kerstin jede Menge dieser Slips gekauft hatte, entpuppt sich das Tischchen doch als zu klein, um den ganzen Inhalt der Einkaufstüte neben seinem Cappuccino zu präsentieren.

Zu Hause in der Villa Eden kann Kerstin endlich nochmals die Tangas durchzählen. Tommy macht dazu die entsprechenden Fotos, sonst glaubt es ihm später mal wieder keiner! Nach dem Picknick geht's zum Strand. Es steht eine Video-Tour über die Dünen auf dem Programm.

Es ist immer noch unerträglich heiß. Das Filmen macht Tommy sehr viel Spaß. Die Dünen von Maspalomas sind durch die Abendsonne in ein rötliches Licht getaucht. In der Ferne ragen die Hoteldächer von Playa des Ingles aus den Dünen heraus.

Auch der Leuchtturm von Faro de Maspalomas zeigt als Wahrzeichen vor den Sanddünen eine majestätische Figur. Bald packt Tommy die Videosachen und die Kamera wieder ein und sie legen sich noch eine Weile an den Strand. Tommy holt noch schnell am Kiosk zwei Magnum- Eis. So ist es eben auf Gran Canaria, man bekommt alles hinauf auf die Dünen gebracht, auf das man gerade Lust hat. Kerstin und Tommy befinden sich weit weg von zu Hause und doch ist es hier schon fast so, wie am heimatlichen Feringasee. Überall liegen die Nackten herum, überall gibt es Eis zu kaufen und der Strand lädt ebenfalls zum Träumen ein. Beim abendlichen Spaziergang entdecken beide noch eine neue Urbanisation. Sie ist noch größer, noch mächtiger, als die anderen Anlagen, die sie bisher schon besichtigt haben. Wer wird wohl dort eines Tages Urlaub machen wollen?, fragen sie sich. An dieser Stelle, an der dieser neue Komplex steht, gibt es keinen Strand, sondern nur Felsen. Keine Dünen weit und breit, dafür eine öde Wüstenlandschaft. Ein felsiger Abgrund öffnet sich direkt neben der Zufahrtsstraße.

Die neue Strandpromenade zwischen dem Bergfelsen und dem Hauskomplex ist schon fertig. Doch sie endet im Nichts, wie so Vieles in dieser Gegend. Ein paar Schritte weiter beginnt die Steinwüste des flachen Hinterlandes von Gran Canaria. Und das ist im wahrsten Sinne des Wortes eine Vulkanlandschaft. Bei der Annahme, dass hier in Zukunft einmal Touristen stranden, bekommt man ein mulmiges Gefühl.

An dieser Stelle, an der sich gerade die Promenade befindet, war früher noch alles Natur, dann wurde es von Baggern plattgemacht, damit die Menschen ohne Mühe weitergehen können. Dieses kleine Stück „Strand-Promenade“ verbindet dieses neue kommerzielle Ferienziel mit den alten. Etwa gefühlte einhundert Meter weiter taucht schon der nächste Strand auf.

Und noch ein paar Meter dahinter, Kerstin und Tommy ahnen es schon, steht ein neues, gigantisch großes Urlaubshotel im Rohbau. Eine kleine Stadt eben, aufgebaut im tiefgrauen Nichts.

Beide wagen es aus zeitlichen Gründen nicht, auf diesem Weg weiter zu gehen, denn es ist ihre letzte Nacht auf Gran Canaria. Sie drehen wieder um und gehen wortlos oberhalb der Bucht auf dem Natur-Weg zurück. Vorbei an Hotel-Anlagen, an neuen Urbanisationen von gigantischen Ausmaßen, vorbei am gläsernen Shopping-Center und nehmen all diese Eindrücke mit nach Hause, in ihre romantische Villa Eden.
Kerstin zündet auf der Terrasse sofort ein paar Teelichter an und beide bestaunen den hell erleuchteten Palmengarten sowie den blaugrün schimmernden Pool und genießen in aller Ruhe die letzten Stunden ihres Urlaubs. Es gäbe ja an diesem Abend noch so viel gegenseitig zu erzählen, über die Insel und ihre Schönheiten, über die vielen unverzeihlichen Bausünden und die daraus resultierenden Folgen. Doch sie lassen alles beiseite, denn an diesem schönen Abend heißt es, langsam gedanklich Abschied von Gran Canaria zu nehmen. Tommy macht sich

noch schnell ein paar individuelle Notizen in seinen Block.

Nicht nur an die anderen Dinge denken, sondern den Augenblick genießen, mit seinem lieben Schatz Kerstin. Gerne träumen sie noch von anderen Sehenswürdigkeiten, die ihnen noch Freude bereiten würden.

Manchmal, wie am heutigen Tag, fällt es beiden schwer, dies alles zu begreifen. Da liegt alles so lebensnah und dicht am Herzen, dass es gar nicht so einfach ist, sich für etwas Bestimmtes zu entscheiden. Aber eines ist sicher: Kerstin ist für Tommy die Traumfrau fürs Leben!

Tommy:

„Die grünen, hohen Palmen, der Strand mit den Dünen, alles ist für den einen Augenblick so wunderschön. Das alles muss ich zurücklassen. Doch meine liebe Kerstin kann ich mitnehmen, in unsere gemeinsame Welt. Es ist der Ort, an dem Märchen noch wahr werden. Es fühlt sich an, wie der schönste Tag in meinem Leben. Alle Träume, die wir in den Tagen zuvor hatten, sind wahr geworden, dort in der Sonne auf Gran Canaria."

Es kommt Tommy vor, als hätte er Kerstin eben erst kennengelernt. Alles ist noch so neu und doch so aufregend. Tommy und Kerstin gehen gerne gemeinsam auf Reisen. Man kann viel Schönes erleben und hat danach einiges zu erzählen.
Tommy:

„Mein Kopf wird immer freier und ich könnte alles wieder aufschreiben, was wir so erlebten. Vielleicht wäre Schriftsteller mein Traumberuf, wer weiß? Auf alle Fälle kann ich mit voller Freude viel Neues zu Papier bringen. Mit jedem Augenblick ist eine ganze Seite voller Erinnerungen für alle Ewigkeit festgehalten. Wohlgemerkt für einen Augenblick nur! Wenn ich anfangen würde, all meine individuellen Ideen und Gedanken in voller Länge auf-

zuschreiben, dann würde ich wahrscheinlich mit meinem Text dort sein, wo all die Hotelanlagen jetzt stehen.

Am gedanklichen Ende der Welt ist alles voller Kreativität und Zuversicht, geordnet in einer gigantischen Zeilenlandschaft, die niemals ein Mensch auf der ganzen Welt zu Ende lesen könnte.“

Am Sonntag, den 25. Juni, im Jahre 2000 ist ihr Tag der Abreise. Endlich können sie mal ausschlafen. Das war bisher noch nie der Fall, denn meistens, wenn sie abgereist sind, ging ihr Flug stets am frühen Morgen zurück nach Deutschland. Nach dem Frühstück packen beide schon mal die Koffer und bringen sie an die Rezeption.

Anschließend gehen Kerstin und Tommy zum Abschied noch einmal an den Strand. Der Leuchtturm von Faro steht stramm wie immer vor dem blauen Himmel. Das Meer hat sich heute bei Ebbe so weit zurückgezogen, dass beide im Sand barfuß um den Leuchtturm herumgehen können. Dieser letzte Gang tut ihnen weh! Dann folgt ein letztes Eis, das tut ihnen ebenfalls weh!

Pünktlich um 15:40 Uhr holt sie der Bus Nummer 69 ab. Eine letzte Fahrt zum Flughafen steht an, die auch wehtut. Starr blicken Kerstin und Tommy aus dem Fenster hinüber zu den Dünen von Maspalomas, zum Leuchtturm von Faro, zu den Palmen und zum Strand. Alles verschwindet dann nach und nach aus ihrem Blickfeld.
Nun fährt der Bus auf der Autobahn zum Flughafen von Las Palmas und beide sind endgültig im Abschiedsmodus angekommen. Eine scheinbar endlose Leere breitet sich bei ihnen im Magen aus. In ihren Herzen spüren sie jedoch schon die Sehnsucht nach dem nächsten Meer, nach dem nächsten Urlaub und nach Erholung. Wie gerne würden Kerstin und Tommy noch bleiben wollen, dort in diesem Paradies. Tommy hat eben noch genau diese Erinnerungen auf seinem Block festgehalten und im Gepäck verstaut.

Nicht zu vergessen sind noch die unzähligen Fotos und die Videoaufnahmen. Nach dem Einchecken heißt es für beide wie immer: Warten auf den Abflug. Die letzte Maschine bringt Kerstin und Tommy wieder gut nach Hause.

Portugal - Algarve

August 2000

Der Wecker weckt sie heute Morgen um 3:45 Uhr. Wie immer vor einer Urlaubsreise ist an einen erholsamen Schlaf nicht zu denken. Das „Klingeln“ des Weckers ist dann für sie im wahrsten Sinne des Wortes wie eine Erlösung. Unausgeschlafen wälzen sie sich aus dem Bett. Nun ist endgültig klar: Es geht los! Hastig packen Kerstin und Tommy noch das Nötigste zusammen, fahren mit dem Auto zur S-Bahn und keine halbe Stunde später erreichen sie das Terminal B. Wiederum das gleiche alte Ritual: einchecken, frühstücken, im Duty-free einkaufen, das obligatorische Abflug-Foto schießen, dann Boarding! Das alles ist bei ihnen schon Routine. Es ist ihre zehnte Urlaubsreise, mit dem Ziel Portugal, Algarve, Lagos, Hotel Sol E Praia. Es klingt alles verdammt gut an jenem Sonntagmorgen am Flughafen dort draußen am Erdinger Moos.

Nach drei Stunden Flug erreicht die Maschine die Hafenstadt Faro. Dort ist alles neu und das Terminal im Umbau. Das Wetter ist wie erwartet hochsommerlich warm, um die 28 Grad. Der Bus Nummer 38 bringt beide nach dreistündiger Fahrt an die herrliche Südküste Portugals. An der Algarve ist alles so, wie es im Reisekatalog steht: Hotels stehen über dem felsigen, hellbraunen Strand, überall ist die Landschaft verbaut, viele Straßen, viele Häuser, Bars und Kneipen stehen an jeder Ecke.

Der Bus leert sich nach und nach. Nun sind sie beide kurz vor der Ankunft die letzten, die ganz hinten im Bus sitzen und ins Hotel Sol E Praia wollen. Endlich taucht es nach der letzten Kurve auf. Es thront direkt über dem Strand von Praia Dona Ana auf einem Felsen.

Nun sind alle Zweifel von Kerstin ausgeräumt, dass ein Drei-Sterne-Hotel nicht gut sein könnte. Bei dieser Top-Lage sind diese Bedenken bald vergessen.

Schnell sind ihre Koffer im Zimmer verstaut, schnell sind alle lästigen Formalitäten erledigt und schon machen sie sich auf den Weg, die neue Umgebung an der Algarve zu erkunden.

Tommy sagt auf Spanisch zu Kerstin:

Vamos a la Playa!“

Wahrscheinlich heißt es auf Portugiesisch ein bisschen anders, aber es klingt sicher so ähnlich. Wie magisch angezogen eilen Kerstin und Tommy geradezu zum Strand von Praia Dona Ana. Ihre Euphorie müssen sie jedoch bremsen, denn heute ist ja erst ihr Anreisetag. Es bleibt ja noch genügend Zeit für alles.

Von oben betrachtet stehen riesige bizarre gelbe Felsen im Meer. Eine schöne Augenweide für die zwei. Am Strand sehen sie die türkisblauen Buchten mit den vielen Menschen, die unter den bunten Sonnenschirmen herumliegen, baden und fröhlich ins Wasser springen. In der Tat ist dieser Strand ein Naturdenkmal ohnegleichen. Mit jedem Blick in eine andere Richtung verändert sich das Bild. Mal sieht man mehr Kalkspitzen aus dem Meer ragen, mal sind es weniger.

Über schmale Treppen erreicht man die schöne, romantische Bucht von Dona Ana. Auch hier unten erleben Kerstin und Tommy dasselbe Bild wie schon von oben herab. Überall ragen bizarre Sandsteine aus dem Meer, als hätte die Kraft des Atlantiks sie im Lauf der Zeit regelrecht zerfressen. Weiter draußen stehen bis zu zwanzig Meter hohe Obelisken im Wasser, als wären sie von den Urkräften der Natur vergessen worden.

Zwischen den einzelnen Buchten gibt es von Menschenhand in den Sandstein gehauene Verbindungstunnel. Sie sind quadratisch in den Berg gemeißelt wie in ein Stück Butter. So kann man mühelos durch den Sandstein von einer Bucht zur anderen gelangen. Abermals öffnet sich eine neue Welt mit vielen bunten Felsspitzen und Höhlen, wohin man auch immer blickt und hinkommt. Draußen auf

dem Wasser fahren die Boote und am Strand und in den Fluten wimmelt es von Menschen. Ein buntes Treiben soweit das Auge reicht.
Man fragt sich als Außenstehender, ob Kerstin und Tommy das alles verkraften können. Für solche Fragen bleibt jedoch an so einem Tag kaum Zeit. Die Neugier treibt sie weiter und weiter, um noch mehr zu sehen. Beide sind ja erst ein paar Stunden dort, an diesem schönen Ort, und es gibt immer wieder etwas Neues zu entdecken, das sie noch nicht kennen. Das Wasser ist angenehme 22 Grad warm und lädt natürlich zum Baden ein. Inzwischen hat Tommy schon so viele Fotos gemacht, dass er nicht mehr genau weiß, was er schon alles aufgenommen hat.

Diese Landschaft fasziniert ihn natürlich sehr. Sie bietet so viele Facetten, wie er sie noch niemals irgendwo zuvor gesehen hat. Zwischen diesen Naturschönheiten liegen Menschen auf dem sandigen

Boden. Man hat den Eindruck, als würden sie bewusst dort hingehören. Bunte Fischerboote fahren über das glitzernde Wasser, Möwen kreisen über den hohen Felsen und Ausflugsboote in schrillen Farben fahren um die hohen Felsspitzen herum. Außerdem sieht man fliegende Menschen in der Luft, die an einem Fallschirm hängen und von Rennbooten gezogen werden.

Es ist für alle Urlaubsgäste ein wunderschönes Bild und eine Wonne für ihre Herzen, so etwas Schönes zu erleben.

Am späten Nachmittag sitzen Kerstin und Tommy auf einer hübschen Terrasse direkt über dem Meer und genießen den faszinierenden Ausblick auf diese neue Urlaubswelt. Kerstin bestellt sich einen Hamburger, Tommy einen Cheeseburger und so stillen sie ihren Hunger in doppelter Hinsicht.

Schöner kann man es im Katalog kaum wiedergeben als direkt vor Ort, wie es dort am Strand der Fall ist. Es weht ein lauer Wind vom Meer herüber auf die

Terrasse. Die vielen Menschen sowohl der Klang der Wellen erweitern diese Ansicht des Tages nochmals um mehrere Nuancen.
Dank Tommys Überredungskunst kehren beide eher unfreiwillig wieder ins Hotel zurück. Auf dem Dach-Pool springt Kerstin sogleich ins kühle Nass und Tommy gleich hinterher. Ein knapper Tag ist seit ihrer Ankunft nun vergangen und sie haben schon so viel Schönes erlebt! Anschließend geht es zu Fuß in die Stadt Lagos. Im Reiseführer steht, dass es bis ins Zentrum nur etwa zwei Kilometer weit ist, aber es zieht sich hin.

In der Altstadt bestellen sie sich als erstes ein Eis. Die Speisekarten sind dort vielsprachig. Die Portugiesen und ihr kulinarisches Essen sind voll in Ordnung. Müde von diesem anstrengenden Tag kehren beide bald wieder heim. Sie genießen noch kurz einen Rundgang über den leeren Strand bei einer wunderschönen Vollmondnacht. Nun neigt sich der

Tag dem Ende zu. Eng umschlungen fallen beide ins Bett und träumen noch lange von diesem einmaligen ersten Urlaubstag.

Möwengeschrei weckt sie am nächsten Tag. Nach dem Frühstück geht's gleich wieder zu ihrer Strandbucht, die sich direkt rechts neben dem Hotel befindet. Es gibt für beide an diesem Morgen schon viel gegenseitig zu erzählen.

Es befinden sich weit weniger Urlauber am Strand als noch gestern. Außerdem ist es schon sehr warm, aber das Wasser ist noch kühl. Ein Ruhetag wäre jetzt gerade das Richtige für die zwei. Man muss sich ja zuerst langsam an das „Neue“ gewöhnen, da kommt so ein Ausspannungstag, wie heute von ihnen geplant, gerade wie gerufen. Im Schatten suchen Kerstin und Tommy ein ruhiges Plätzchen. Doch die Flut steigt unaufhaltsam weiter und die Wellen rollen immer näher auf ihre Handtücher zu. Einige Male müssen sie den Rückzug zu den Felsen antreten.

Kurze Zeit später begibt sich Tommy alleine auf Entdeckungstour, während Kerstin auf die Sachen am Strand aufpasst. Nur ein paar Meter von ihrem Plätzchen entfernt stößt Tommy auf einen unbekannten Höhleneingang. Neugierig zieht es ihn hinein.
In der Mitte der Höhle klafft an der Decke ein riesiges Loch, durch das man den blauen Himmel sehen kann. Alles von Mutter Natur erschaffen, denkt er sich. Nur ein paar Schritte weiter kann er durch einen weiteren Tunnel einfach so durch den Felsen hindurch spazieren, um zu einer weiteren romantischen Bucht zu gelangen. Am Ende steht ein gigantischer Felsen im Wasser und dahinter verbirgt sich nochmals eine einsame Bucht. In so einem Augenblick fällt es einem schwer, wieder umzukehren. Doch Tommy möchte auch Kerstin gerne diese Entdeckungen zeigen.

Später liegt er wieder neben ihr auf dem Badetuch und erzählt Kerstin von den neu gefundenen Objekten. Heute ist so ein Tag, um sich irgendwo hinzulegen, die Augen zu schließen und sich vom Rausch der Wellen betören zu lassen. Genau dort, wo nun beide liegen, ist so ein Ort, an dem sich all diese Träume eines Stadtmenschen erfüllen. Es ist so schön, an diesem Ort zu sein, um das alles erleben zu dürfen.

Als nächstes macht sich Kerstin alleine auf den Weg, jedoch in die andere Richtung, um weitere Schönheiten dort an diesem Strand zu entdecken. Eigentlich wollten beide nur am Strand liegen und sich ausruhen. Aber es gibt noch so viel zu sehen und zu erleben. Unentwegt fahren herrliche Schiffe am Strand vorbei mit ihren weißen Segeln und hohen Masten. Kaum liegt Tommy wieder auf seinem Badetuch und dreht sich auf die andere Seite, greift er schon fast automatisch erneut zum Fotoapparat, um diese Szene abermals auf Film zu bannen.

Glitzerndes kristallklares Wasser mit felsigem Grund, hellen Sandstrand, kreisende Möwen, Segelschiffe, Menschen und eine Natur von besonderem Flair gibt es hier zu beobachten. Überall ragen weißgelbe Kalkfelsen aus dem Wasser, die hauptsächlich aus Muschelsand bestehen.

Man hat den Eindruck, dass da tausend kleine Boote unentwegt um diese skurrilen Felsspitzen herumfahren. Ab und zu hört und sieht man Gruppen von jungen Leuten, wie sie gemeinsam Hand in Hand kreischend ins Wasser stürzen!
Tommy fällt es schwer, bereits am ersten Tag immer wieder neue Definitionen für diese bezaubernde Landschaft zu finden, die beide bisher nur von Postkarten und Reisekatalogen her kannten. Noch schwerer ist es, nach erst so kurzer Zeit die richtigen Worte für dieses Sommer-Feeling zu finden. Nur wer dort direkt auf diesem groben Sand liegt und auf das Meer hinausblickt, nur der weiß wirklich, was Tommys Seele dazu sagen würde! Manchmal ist man an solchen schönen Tagen selbst überfordert von so viel Schönheit. Wenn seine Seele jetzt jubeln

könnte, wie würde sich das wohl für ihn anfühlen?

Man hat so seine Mühe, diese individuellen „Augenblicke“ zu verstehen und sie gleichzeitig noch zu verkraften. Dieses Gefühl würde er heute gerne einpacken und eines Tages an einem anderen Ort der Welt wieder auspacken, um es dort nochmals genießen zu können.

Mittags kehren Kerstin und Tommy mit ihren vielen Eindrücken wieder ins Hotel zurück. Tommys erster 36er-Film ist vollgeknipst. Müde fallen beide ins Bett. Danach genießen sie auf dem schattigen Balkon ein paar saftige Pfirsiche mit Brot und Käse. Dazu gibt es Erdbeermilch und Mineralwasser zu trinken. Schmusen ist immer schön an einem so paradiesischen Ort wie an der Algarve. Erst am späten Nachmittag wecken Kerstin und Tommy erneut die Möwen mit ihrem unverkennbaren Gesang.

Kerstin zeichnet ihr erstes Bild vom Strand und Tommy notiert die letzten

Zeilen über den Vortag in seinen Schreibblock. Dann geht's zum Hafen von Lagos. Am heutigen Tag ist entlang der Stadtmauer Markt-Tag. Langsam bummeln beide durch die schmalen Gässchen. In einem hübschen Eiscafé verweilen sie fast ein ganzes Stündchen. Es ist schon spät. Ein schöner Urlaubstag neigt sich dem Ende zu. Der Mond am Abendhimmel ist ihr ständiger Begleiter. Langsam denken beide dann auch an den Rückweg ins Hotel.

Es ist ihr erster ganzer gemeinsamer Tag in Portugal an der Algarve. Todmüde fallen beide ins Bett. Zu guter Letzt gibt es noch die tägliche Analyse von Tommy: „Eigentlich ist es doch so: Ab und zu gibt es große „Ponta Piedaden“ (Felsrücken), riesige Felsen mit Löchern, wie im Schweizer Käse, durch die auch noch kleine Schiffchen durchfahren können. In Portugal nennt man sie auch Grottenfelsen! Gute Nacht, Kerstin-Schatz.“

Guten Schlaf können Kerstin und Tommy nun gebrauchen. Er löst die inneren Blockaden, lockert ihre Beinmuskeln und gibt ihnen wieder neue Energie, um am nächsten Tag erneut loszuziehen. Vor langer Zeit war Kerstin schon mal in Portugal, an diesem Strand auf einem Campingplatz. Vielleicht gibt es ja noch die Gelegenheit, jener Sache auf den Grund zu gehen.

Am nächsten Tag haben sich beide vorgenommen, diesen ehemaligen Campingplatz suchen zu wollen. Der Morgen zeigt sich schon sehr warm und die Sonne sticht von einem tiefblauen Himmel senkrecht auf ihre Köpfe herab. Ein kaum spürbares Lüftchen weht über die Klippen zu ihnen hinüber.

Nach einer halben Stunde Fußmarsch machen die zwei unter einer schattigen Pinie eine kurze Pause. Nach Kerstins Einschätzung müsste genau da, an dieser Stelle, der Campingplatz gewesen sein. Abermals gehen sie eine halbe Stunde durch die öde Wüstenlandschaft und erreichen dann die Südspitze der Algarve mit dem prächtigen Leuchtturm. Von einem Campingplatz fehlt dort jedoch jede Spur. Sie biegen dann rechts ab und gehen nun nordwärts durch Fels und Sand weiter. Gnadenlos brennt die Sonne vom Himmel.

Tommy:

„Das Tal des Todes könnte nicht furchtbarer sein als diese Wildnis! Es gibt nichts zu sehen, was man noch mit Worten beschreiben könnte."

Kerstin:

„Dort muss der Campingplatz gewesen sein, gleich hinter dem nächsten Hügel!" Je weiter beide nordwärts ziehen, desto unwahrscheinlicher erscheint es ihnen, dass überhaupt noch etwas kommt, was ein Campingplatz sein könnte. Sie sind ihrer Einschätzung nach jetzt sozusagen am Ende der Welt angekommen. Tiefer kannst du nicht fallen als ins Nichts!

Tommy fragt sie: „Wo sind wir hier eigentlich?“

Weit in der Ferne erkennt man einen Küstenstreifen mit flachem Strand. Es ist nahezu ein hoffnungsloses Unterfangen, hier noch etwas Konkretes zu finden. Meilenweit kein Campingplatz in Sicht, kein Lokal, nicht einmal eine Badebucht. Kein Mensch weit und breit, nichts als nur öde Wildnis. Sie kehren um und sind nach einer halben Stunde anstrengendem Fußmarsch wieder beim Leuchtturm angekommen. Als Dank und als kleinen Trost nimmt Tommy seine Kerstin in den Arm und drückt sie fest an sich.

In einem kleinen Café unmittelbar neben dem Leuchtturm trinken beide Limo und Cola und gönnen sich dazu noch ein Magnum-Eis. Direkt unterhalb des Felsens, auf dem er steht, befinden sich Grotten. Man erkennt von oben die vielen kleinen bunten Schiffchen, wie sie mit den Touristen in die Grotten ein- und ausfahren.

Bei enormer Hitze kehren beide am späten Nachmittag in ihr Hotel zurück und springen so schnell sie können in den kühlen Pool auf dem Hoteldach. In allerletzter Sekunde können sie einem Zusammenbruch ihrer letzten Kräfte entkommen.

Erst in den kühlen Abendstunden spazieren sie erneut ins nahe Lagos. „Bom Dia Lagos“ heißt es da auf einem Plakat zur Begrüßung der Gäste. In ihrem Lokal der Wahl bestellen sie Bitter Lemon und Pizza und natürlich genießen sie danach noch ein leckeres Eis. Tommy kauft sich in einem der tausend Geschäfte ein Surf-Board, um am nächsten Tag auf den Wellen zu reiten. Wenn das mal gutgeht, denkt sich Kerstin.
Nach der gestrigen Odyssee ist wieder ein Ruhetag am Strand angesagt. Einfach mal relaxen und einfach ein paar Erkundungen machen. Gegenwärtig sind große Wellen am Strand. Tommy hat jedoch sein neues Surf-Board im Hotel vergessen. Er ist einfach zu müde, um es noch

zu holen. Kerstin verliert bei ihren Erkundungen am Strand von Praia Dona Ana irgendwo ihre Sonnenbrille. Trotz intensiver Suche bleibt sie verschwunden.

Am nächsten Morgen entschließen sie sich zu einer Grottenfahrt mit dem Boot. Es stehen schon unzählige Kapitäne unten am flachen Teil des Strandes bereit. Der Wind drehte in der Nacht auf Nord und sorgt nun für eine leichte Abkühlung. Um neun Uhr startet ihre Fahrt. Mit Kamera und Fotoapparat bestückt, fahren sie mit dem ersten Motorboot zu den Grotten hinaus. Die Sonne steht noch flach am Horizont und scheint in ihrem goldenen Glanz auf die Felsen, die sie mit dem Boot elegant umfahren.

In den Ausbuchtungen des Sandsteins spiegelt sich das glitzernde Wasser an der Decke der Höhle. Was für ein herrlicher Anblick! Einige Kapitäne haben Muscheln dabei und blasen durch die Öffnung im Inneren der Grottenhöhle dumpfe Töne in die Glitzerwelt. Es ist wohl eine beliebte Touristenattraktion, denn die Bootspassagiere sind begeistert und halten dieses einmalige Schauspiel mit ihren Video-Kameras fest.

Abends essen Kerstin und Tommy unten im Strandlokal Cheeseburger mit Tomatensalat und genießen in vollen Zügen den romantischen Blick auf die Bucht, auf den Strand und auf die unvergessliche Algarve mit ihren sandigen Obelisken! Portugal präsentiert hier vor Ort zu Recht, eine der schönsten Küsten Europas zu sein.

An diesem schönen Abend sind die beiden die letzten Gäste und bekommen zum Abschied noch einen typischen portugiesischen Schnaps. So gut fühlt es sich an, wenn man in einem fremden Land Urlaub macht. Mit noch etwas schweren Beinen und vollem Magen machen sie sich auf den kurzen Heimweg, wo ihr Glück auf Erden wohnt, das sie jede Minute ihrer Zweisamkeit in vollen Zügen genießen.

Unmittelbar nach dem Frühstück am nächsten Tag spaziert Kerstin mit Tommy erneut in die Stadt, denn beide planen eine kleine Fahrt mit der portugiesischen Eisenbahn. Wohin, wissen sie jedoch noch nicht. Über eine Zugbrücke am Ende der Flaniermeile erreicht man den kleinen Bahnhof von Lagos in unmittelbarer Nähe des Hafens. Es gibt insgesamt drei Gleise, einen kleinen Lokschuppen und jede Menge Fahrpläne. Komplette Züge sind jedoch auf dem Bahnsteig nicht in Sicht.

Beim Studieren der vielen Fahrpläne wird ihnen bald klar, dass hier in jeder Hinsicht alle Logik außer Kraft gesetzt scheint. Eine Zugreise muss wohl ein wahres Abenteuer sein, geht es Kerstin durch den Kopf. Es ist das reinste Lotteriespiel, was die Richtungshinweise oder logischerweise die Abfahrtszeiten betrifft. Am liebsten möchten beide gleich wieder heimgehen, denn auch auf dem angrenzenden Fischmarkt möchte man nicht länger verweilen. Es stinkt ganz fürchterlich und selbst die exotischen Fische schauen auf dem Tresen sehr unappetitlich aus!

Schnell entscheiden sie sich für den Rückzug ins Hotel, um danach im Pool auf dem Dach zu baden. Am späteren Abend machen sich beide erneut auf die Suche nach dem Campingplatz. Doch dieses Vorhaben endet abrupt in der hereinbrechenden Dunkelheit der portugiesischen Wüste. Auch an diesem Abend ist der ominöse Platz unauffindbar.

Auf dem Heimweg stellen sie fest, dass sie wahrscheinlich eine falsche Straße ausgewählt haben. Zu guter Letzt gehen sie noch auf das Open-Air-Tanzfest im Hotel gegenüber. Doch jede Zeile darüber zu berichten, wäre pure Verschwendung, so die persönliche Einschätzung von Tommy.

Am heutigen Samstag ist erneut Campingplatz-Suchtag! Tommy klatscht in die Hände und sagt:

„Klappe: Campingplatz-Suchtag, die dritte! Schnitt!"

Wunder, nach kurzer Wanderzeit den gesuchten Campingplatz! Alle Gebäude wurden jedoch weitgehend abgerissen. Der einstige angebliche Platz von anno dazumal ist vollkommen verwüstet.
Überall nur Schutt und Geröll des Weiteren Ruinen aus Beton von alten Zeltlagern und den Toiletten. Es schaut so aus, als hätten dort kürzlich gleich mehrere Bomben eingeschlagen! Ratlos stolpern beide durch das Schutt-Chaos. Wahrscheinlich ist auch Kerstins Traumstrand nicht mehr weit weg. Sie schlüpfen durch ein Loch im Maschendrahtzaun und verlassen so den Camping-Katastrophenplatz.

Kerstin:

„Dort unten müsste gleich ein tolles Strandlokal stehen!"

Aber da ist ebenfalls nichts! Tommy, der alte Skeptiker, hat wieder mal recht. Oft kommt man im Leben an einer anderen

Stelle heraus, als man zu glauben scheint. Von einer Strandbar können dort nur die Engel träumen.

Es fehlen ebenfalls die vorhergesagten Treppen, die zum Traumstrand hinabführen sollten. Damit müssen beide nun leider klarkommen. Langsam steigt Kerstin mit Tommy durch den felsigen Stufenabschnitt zum Strand hinunter.

Anstelle einer traumhaften Bucht finden sie jedoch nur Steine, die mit grünem Moos bewachsen sind. Jede Menge Müll liegt herum. Zum Beispiel angeschwemmtes Holz, Plastiktüten, Eisengestelle etc. Es gibt noch eine kleine Höhle, deren Eingang mit Steinen verstopft ist.

Enttäuscht wegen ihrer hohen Erwartungen, kehren sie wieder um und klettern mühsam nach oben. Vorbei am zerstörten Campingplatz geht es über einen glühend heißen Feldweg zurück zu ihrer Bucht.

Da steht plötzlich auf der rechten Seite zum Meer hin eine alte Hotelruine im

Nirgendwo. Wahrscheinlich in guten Zeiten einfach aus dem Boden gestampft und danach ihrem Schicksal überlassen, so ihr erster Eindruck. Die rostigen Eisengestänge an der halbfertigen Dachkonstruktion ragen hilfeschreiend zum Himmel empor.
Wenn der Rohbau noch reden könnte, würde er dann wissen, wo Kerstins Traumstrand gewesen wäre? Falls dieser Koloss überhaupt etwas sprechen könnte, was würde er ihnen wohl sagen können?

Bei so einem trostlosen Anblick kommen einem zwangsläufig solche Gedanken. Im Schatten der Hotelruine steht ein nagelneuer TUI-Bus. Er hätte sicher auch in dieses Hotel neue Gäste bringen können!

Ja, aber wenn das Hotel gebaut worden wäre, wie es einstmals die Architekten geplant hatten, wäre es heute voller Urlauber und nicht öde und leer! Aber das Hotel wurde eben nie fertig, aus wahrscheinlich unterschiedlichsten Gründen und der Bus steht nun ohne die Hotelgäste da! Eigentlich ein ganz jämmerlicher Anblick, der in ihren Herzen wehtut. Tommy hält diese fast unwirkliche Szene mit der Kamera fest. Im Grunde ist dazu schon alles gesagt, was es dazu zu sagen gäbe.

Viele offene Fragen gehen einem durch den Kopf, wenn man dieses erbärmlich gebaute Ferien-Domizil vor Augen hat. Buchstäblich steht es am Abgrund. Man muss es nur noch hinabschieben! Viel wäre da noch zu verbessern gewesen, wenn man ernsthaft über einen Betrieb dieses heruntergekommenen Hotels nachgedacht hätte. Aber schon der Ort, an dem sich das verwunschene Hotel befindet, lässt große Zweifel an einer echten Wirtschaftlichkeit erahnen.

Für Kerstin und Tommy zählt jedoch nur, dass sie nach sechs Tagen und drei Versuchen endlich Kerstins ehemaligen Campingplatz gefunden haben. Die Frage nach dem traumhaften Strand werden sie wohl nie mehr aufklären können.

Ehrlich gesagt will es letztendlich während ihres schönen Urlaubs gar keiner mehr wissen. Die Gegend bei ihrem Hotel ist so schön und verbirgt noch so viel Geheimnisvolles, dass es viel zu schade wäre, andere unlösbare Rätsel entschlüsseln zu wollen.
Im Gegensatz zum Campingplatz gibt es am Praia Dona Ana jede Menge romantische Buchten, bizarre Felsklippen, die das Geheimnis ihrer Entstehung ebenfalls nicht preisgeben. Am Abend essen Kerstin und Tommy erneut in Lagos, denn bei ihnen gibt es kaum Restaurants. Die Gassen sind heute Abend jedoch wie ausgestorben. Ein leichter, kühler Wind weht durch die Stadt.

Nach dem Schleckeis schlendern sie weiter und finden unten am Hafen ein Open-Air-Kino mit einer aufblasbaren weißen Leinwand. Es ist jedoch Ruhetag! Die Nacht ist kühl und laut und es fällt ihnen schwer, nach dem langen Rückweg einen durchgehenden Schlaf zu finden.

Aufwachen ist viel schöner. Tommy nimmt Kerstin dann in den Arm und schon schweben sie an diesem wunderschönen Sonntagmorgen auf Wolke sieben. Heute ist beim Frühstücken Mandelkuchen-Tag mit Cappuccino angesagt. Wie immer verbringen sie in diesem nie enden wollenden Urlaub viel Zeit am Strand. Da spielt stets das „Open-Air Strand-Theater." Man kommt mit dem Beobachten voll auf seine Kosten. Viele Leute sind im Wasser, andere liegen in ihren Ecken und wiederum andere flanieren auf und ab.

Eine braungebrannte portugiesische Schönheit liegt mit ihrem Geliebten auf einem großen, schneeweißen Badetuch. Während er mit seiner Kamera das Treiben am Strand festhält, liegt sie fast regungslos auf dem Boden und beobachtet das Ganze aus der Froschperspektive. Ihr Lover schießt jedoch kein Foto von seiner Schönen!

Nach diesen individuellen Beobachtungen gäbe es wieder einmal für Tommy viel zu analysieren. Warum macht er kein Bild von seiner Freundin oder ein Selfie? Hat er schon so viele? Und warum geht sie nicht ins Wasser und lässt sich von den kühlen Wellen treiben?

Kerstin und Tommy wissen die Antworten nicht.
Am nächsten Tag mieten Kerstin und Tommy einen kleinen „Twingo“ und fahren westwärts in Richtung Rogil. In Kerstins DuMont-Portugal-Reiseführer steht:

Eine Dünenwanderung bei Esteveria ist ein Muss für jeden Portugal-Urlauber!

So eine Dünenwanderung wäre jetzt genau das Richtige für uns beide, denken sie. Beide Portugal-Fans sind ja schon hitzeerprobt und sie kann beim besten Willen nichts mehr überraschen.

Laut Reiseführer steht nun Folgendes zu beachten: *Im Nordwesten bei Rogil geht es auf der Hauptstraße nach Esteveria bis zum Ende des Asphalts.*

Sie biegen also wie beschrieben mit ihrem Twingo bei dem Schild „Esteveria“ links ab und fahren immer geradeaus auf den Ort zu. Die Straße ist aufgeschlagen, holprig und sehr staubig. Tommy, der Fahrer, fragt Kerstin, ob das auch noch die Asphaltstraße ist, wie sie im Reiseführer steht. Aber da gibt es nur ein Schulterzucken.

Die Ortschaft Esteveria gibt es dort nirgendwo! An der nächsten unscheinbaren Abzweigung entscheidet Tommy sich für die linke Seite und sie erreichen mit ihrem Auto nach wenigen Minuten das Meer.

Doch sie können weder einen Ort noch eine Dünenlandschaft ausmachen. Weit und breit ist von diesen Angaben, wie sie im Reiseführer stehen, nichts zu sehen. Sie drehen wieder um und fahren an der Abzweigung die andere Straße weiter. Auch hier wieder das gleiche Bild: öde, verlassene Gegend, ab und zu ein Haus und sonst nichts. Es gibt auch keine Hinweise auf Massen von Touristen, die hier

zu einer Dünenwanderung aufbrechen könnten.
Nach einigen Kilometern geben Kerstin und Tommy entnervt auf und fahren wieder auf die Hauptstraße zurück nach Rogil. Danach folgen sie weiter der Straße nach Norden, mit der Hoffnung, den Ort Esteveria doch noch zu finden. Stattdessen landen die beiden in einem Ort mit dem Namen: Odeceixe! Da mündet der mächtige Fluss „Riberia de Seixe" in den Atlantik. Und das alles mitten im Parque Natural.

Im Reiseführer steht für diese Stelle: *Die Westküste Portugals ist größtenteils unberührt.*"

In Odeceixe entdecken Kerstin und Tommy überall kleine und riesige, teils romantische, verträumte Buchten. Von Dünen ist jedoch auch hier kaum was zu sehen. Im Gegenteil: Auf den grünen Wiesen um den Ort herum grasen mehrere Kühe! Jedenfalls unmittelbar neben dem kleinen Ort entdecken sie wahrscheinlich die größte Bucht Portugals. In einem gigantischen Bogen hat sich das Meer an dieser Stelle ins Land hineingefressen. Kilometerweit, so schätzen beide, sind die riesigen Ausmaße dieser großen Bucht.

Auf dem fast leeren Parkplatz lassen sie ihren Twingo stehen und machen sich zu Fuß mit den Kameras auf den Weg zur Bucht. Kilometerweiter Strand soweit das Auge reicht. Überall Menschen, Boote und buntes Treiben. Auf einem einsamen Schild steht: „To the beach“.

Überall stehen und liegen bizarre Felsen, Steine, pulverfeiner Sand. Steintore aus schwarzem Lavastein türmen sich hier meterhoch. Das Meer ist ruhig, nur kleine, flache Wellen rollen auf den Strand zu. In diesem enorm großen Strandabschnitt verweilen nur wenige Menschen. Diese atemberaubende Badebucht steht leider nicht im Portugal-Reiseführer.

Nachdem Tommy alles analysiert und ausgiebig fotografiert hat, fahren sie wieder zurück nach Rogil und überlegen

dann, ob sie noch einen zweiten Versuch starten sollen, um die berühmten Dünen von Esteveria doch noch zu finden. Vielleicht haben sich beide nur verschätzt und sind an den Dünen vorbeigefahren oder falsch abgebogen?
Kerstin und Tommy wagen nun doch einen weiteren Versuch. Erneut fahren sie von der Schlüsselstelle ab Rogil über die Asphaltstraße in Richtung Esteveria und folgen exakt den Anweisungen des Reiseführers:

Kerstin liest Tommy vor:

„Mit dem Auto fährt man bis zum Ende des Asphalts. Zu Fuß weiter, biegt man links ab, in Richtung der Häuser, zwischen denen man hindurchgeht.“

Wie beschrieben lassen sie genau am Ende der Asphalt-Straße das Auto am Straßenrand stehen und gehen zu Fuß weiter. Kerstin liest den nächsten Abschnitt im Reiseführer:

„Ein dunkler Sandweg wendet sich nach links und steigt leicht an. Nah ca. einhundertfünfzig Metern kommt man an einem kaum sichtbaren Brunnen vorbei. Man folgt dem Sandpfad, der am Rande eines Baches entlangführt!“

Es ist zum Schreien! Es fällt ihnen sehr schwer, das Geschriebene aus dem Reiseführer ins Reale umzusetzten. Meilenweit sehen sie keinen schwarzen Sandweg und den Brunnen gibt es wohl nur virtuell, ebenso den beschriebenen Bach. Sind sie dort wohl richtig bei der Dünenwanderung? Oder sind sie wirklich an der total falschen Stelle? Wo ist der Bach und überhaupt, woher soll hier das Wasser kommen? Fragen über Fragen und beide kommen mit ihrem Vorhaben einfach nicht weiter.

Kerstin liest Tommy die nächste Zeile vor:

„Auf der anderen Seite des Tales liegen Felder und ein Pinienhain duftet hinüber. Eine karge Vordünenlandschaft.“

Alles, was sie in diesem Augenblick zu sehen bekommen, ist eine karge Felsenlandschaft mit teils grünem Gebüsch. Es gibt weder ein Tal noch Felder zu sehen, geschweige denn einen Pinienhain.
Alle Leserinnen und Leser, die nun glauben, dies sei schon alles gewesen, irren sich gewaltig! Nun steigert sich der Reiseführer mit seiner Beschreibung noch dem Höhepunkt entgegen. Kerstin liest weiter vor:

„Sand, soweit das Auge reicht! Man geht auf den Atlantik zu, sieht den Markstein von Esteveria. Der Bach endet als kleiner Wasserfall am Strand. Auf dieser kleinen Ebene über dem Meer möchte man gern verweilen, um der Sinfonie der Wellen zu lauschen, sich an der Sonne zu aalen oder seine Wünsche der am Horizont versinkenden Sonne mitzugeben. Eine Dünenwanderung in Esteveria ist ein Urlaubsabenteuer, das sich kein Algarve-Reisender entgehen lassen sollte.“

Kerstin und Tommy schauen sich verwundert an. Sie stehen kurz vor dem Abgrund, nur einen Schritt entfernt vor dem Fall in den Atlantik! Rundherum ist diese Stelle umgeben von einer Felslandschaft und dicht bewachsenem Sandboden.

Sie fragen sich nach dem Sinn dieses Textes. Die Sonne sticht gnadenlos vom Himmel. Die Brandung der Wellen ist hier oben kaum hörbar. Da muss wohl bei der Ortsbesichtigung von Esteveria für diesen Bericht einiges schiefgelaufen sein, denken sich die zwei.

Es ist aus ihrer Sicht ein öder, unbedeutender Ort, an dem sie gerade stehen. Er lädt nicht zum Verweilen ein. Am liebsten würde Tommy den Portugal-Reiseführer im Atlantik versenken. Mit viel Wut im Bauch verlassen sie den virtuellen Ort Esteveria und fahren sehr gerne wieder zurück zu ihren wirklich schönen, romantischen Buchten.

Man fragt sich natürlich auch, ob jemals ein Algarve-Reisender überhaupt je die

Dünen von Esteveria findet. Nach ihren gescheiterten Versuchen ist das doch mehr als nur fraglich. Außerdem haben Kerstin und Tommy auch keine Reisenden gesehen, die sich die Mühe machten, diese Dünen beziehungsweise eine Dünenlandschaft zu finden.
Auf der Rückfahrt an die Algarve machen sie noch einen kleinen Stopp in Praia da Borderia. Sie entdecken schöne feinsandige Dünen. Dieser Ort steht ebenfalls nicht in Kerstins Reiseführer. Sie verweilen da noch ganz kurz.

Eine wunderschöne Landschaft öffnet sich bis zum Horizont: Dünen, grüne Felder, ebenfalls mit weidenden Kühen. Ein feinsandiger Strand und Sonne pur runden dieses herrliche Bild ab. Dieser Strand lädt zum Baden und zum Bleiben ein.

Auch wenn ihnen der Abschied schwerfällt, fahren sie anschließend an den endlos langen Felsen-Klippen vorbei und müssen aus zeitlichen Gründen auch das kleine Städtchen Sagres links liegen lassen. Tommy steuert auf den westlichsten Punkt Europas zu: den „Ponta de Sagres“. Das ist Europas letzter Zipfel. Leider ist das auch kein Ort, an dem man lange bleiben möchte. Überall herrscht Jahrmarktstimmung: Stände mit Wollpullis, Mützen, Muscheln und viel Souvenir-Kitsch. Schnell schießt Tommy ein paar Fotos vom Leuchtturm und der steilen westlichen Klippe, die ins Meer hinaus ragt. Danach fahren sie schnell mit dem Twingo nach Hause, ins verträumte Hotel Sol E Praia.

Kerstin und Tommy sind froh, dass sie wieder zurück sind, denn da ist es einfach am schönsten. Tommy nimmt seinen Schatz in den Arm und sagt ihr, dass er sie sehr lieb hat und dass es der schönste gemeinsame Urlaub aller Zeiten ist.

Ihr Hotel liegt fast direkt am wunderschönen Strand an der Algarve. Sie hören die Brandung bis ins Zimmer hinauf und es gibt sonst keine anderen Geräusche,

die sie stören könnten. Beide lauschen jeden Abend bis in die Nacht hinein den Wellen des Atlantiks und betrachten noch gemeinsam den Lauf des Mondes.
Heute, am Mittwoch hat es zum ersten Mal an der Südküste Portugals geregnet. Beim Blick aus dem Fenster sehen sie, dass dunkle Wolken von Westen her auf das Meer hinausziehen. Ein Ruhetag wäre jetzt genau das Richtige. Geplant war eigentlich noch kurz ein Abstecher nach Sagres. Aber daraus wird wohl nichts, weil sie das Mietauto gegen elf Uhr zurückgeben müssen.

Später bessert sich das Wetter. Die Wolkendecke reißt auf und die Sonne kommt durch. Sie entschließen sich spontan für eine Strandwanderung von Lagos nach Portimâo. Mit wenig Handgepäck fahren Kerstin und Tommy mit der Fähre quer über die Hafeneinfahrt ans andere Ufer. Dort starten sie die Wanderung und stellen zu ihrer Verwunderung fest, dass der feinsandige Strandabschnitt geradezu mit Muscheln übersät ist.

Genau an dieser Stelle am Hafen beginnt auch der Übergang vom Klippenstrand zum flach abfallenden Sandstrand. Dort endet auch die Stadtmauer von Lagos, genauer gesagt am steilen Felsen von Ponta da Piedade. Beide wandern nun ostwärts und sammeln sogleich die ersten handgroßen Muscheln. Bis zum Mittag füllt sich ihre mitgenommene Tüte schon bis zur Hälfte mit diesen wunderschönen schneeweißen Muschelhälften. Wegen des zunehmenden Gewichtes müssen sie unweigerlich den weiten Rückmarsch antreten.

Jedoch springt Tommy immer wieder ins Wasser, um ein noch größeres Exemplar dieser außergewöhnlichen Muscheln zu ergattern. Die Sonne sticht jedoch jetzt schon gnadenlos auf ihre Haut nieder. Im Restaurant BERLIM essen Kerstin und Tommy dann Omelette mit Pommes und Tomaten.

Während beide die Köstlichkeiten im heißen Strand-Restaurant genießen, kön-

nen sie sich nebenbei noch an der wunderschönen Aussicht auf das Meer erfreuen.
Schnell kritzelt Tommy noch ein paar Notizen in seinen Block, die Kerstin während der Tour stets sagte: *„Der Wind bläst ganz fest, meine Füße tun mir weh, meine Haut ist ganz schlimm verbrannt, der Strand ist nix, mir ist kalt, mir ist so heiß, du gehst so schnell, mein Bauch tut mir furchtbar weh, ich bin so müde usw."*

Nach diesem Eintrag und dem äußerst leckeren Menü brechen Kerstin und Tommy zur Rückkehr auf und erreichen erst spät abends, gegen halb acht, mit verbrannter roter Haut ihr Hotel. Da hilft nur noch der Sprung in den kühlen Pool auf dem Hoteldach. Danach kuscheln sich beide unter wollige Decken und pflegen sich gegenseitig die Wunden der Sonne. Erst ein kühles Cola-Light bringt ihnen später auch die ersehnte innere Entspannung.

Leicht erschöpft fallen Kerstin und Tommy ins Bett und schlafen augenblicklich ein. In Tommys Notizblock ist zu lesen: *Das war der anstrengende Muschel-Sammeltag von Kerstin und Tommy.*

Man träumt oft vom blauen, offenen Meer. Dieser Traum ist im wahren Leben so wunderschön, auch wenn er leider nicht immer erfüllt werden kann. Doch wenn das Erträumte manchmal am nächsten Morgen wahr wird, ist es viel schöner, als wäre es nur ein Traum gewesen.

Nach dem morgendlichen Ritual wollen beide mit der Bimmel-Bahn nach Lagos fahren, damit man etwas aus dem Ort herauskommt, wie man so schön sagt. Doch sie verstehen auf Anhieb den Fahrplan nicht! Es ist für sie nicht klar ersichtlich, an welchem Wochentag und zu welcher Uhrzeit die Bimmel-Bahn an ihrer Haltestelle abfährt. Was lernt man als Feriengast daraus? In Portugal tickt eben das Leben ganz anders, Fahrpläne ver-

steht man nicht, Campingplätze sind unauffindbar und Strände, an denen man früher einmal gewesen ist, existieren nicht mehr. Züge fahren nach Nirgendwo und Bushaltestellen sind ohne Fahrpläne!
Kerstin und Tommy wandern den Tatsachen entsprechend erneut zu Fuß nach Lagos zum Eis essen. Das Gehen ist auch gut für die Kondition und ihre Ausdauer. Was interessieren die beiden schon Fahrpläne und Abfahrtszeiten, wenn man Ziele auch bequem mit den eigenen Füßen erreichen kann? Das macht Kerstin und Tommy innerlich stark.

Wenn einer eine Reise tut, dann kann er was erzählen! Wer jedoch nichts zu erzählen hat, der war wahrscheinlich noch nie in Portugal!

Tunesien - Hammamet

April 2001

Kerstin und Tommy buchten ihre Tunesienreise für den Urlaubsort Hammamet, im Hotel Melia El Mouradi im Ortsteil Yasmine. Was das alles für beide bedeutete, wird sich in ihren Erzählungen von der Reise nach „Afrika“ noch offenbaren.

Am Sonntag, den 8. April heißt es für beide früh aufstehen, um 7:00 Uhr frühstücken und dann mit dem Auto nach Johanneskirchen fahren. Dort steigen sie in die S-Bahn, die beide kurz vor 8:00 Uhr zum Flughafen bringt. Ganze zwei Stunden dauert es noch bis zum Abflug. Das bedeutet: Einchecken im Zentralbereich, anschließend Pass- und Zollkontrolle Kontrolle, dann endlich geht es los. Ein Bus bringt die Passagiere zu einer weißen Boeing 737/500 der Tunisair.

Pünktlich erfolgt dann der Abflug und für ruhige zwei Stunden sind sie in der Luft, bis sie auf ihrem Zielflughafen MIR Monastir landen. Nach den üblichen Kontrollen am Flughafen erreicht der Bus am Nachmittag das gebuchte Hotel. Kerstin und Tommy beziehen die Zimmer und machen einen kleinen Spaziergang im Ortszentrum. Beim Abendessen herrscht im Restaurant Chaos, weil sich viele Tunesier wegen des Märtyrerfestes am nächsten Tag bereits im Hotel aufhalten. Der Wind pfeift durch alle Ritzen des 4-Sterne-Hotels. Man spürt ihn sogar im Speisesaal beim Essen!

Am Montag, den 9. April ist in Tunesien der Tag der Märtyrer. Diesen Feiertag gibt es schon seit 1938. Um 9:00 Uhr haben Kerstin und Tommy bei der „Neckermann-Tante" einen Termin, weil man sie kurzfristig in ein anderes und größeres Hotel umgebucht hat. Nun ziehen beide und noch andere Gäste in das 5-Sterne-Hotel gegenüber. Es ist auch dementsprechend eine Nummer größer.
Als Entschädigung für die Umbuchung bekommen Kerstin und Tommy für die-

sen individuellen Wechsel von Neckermann Reisen einen Tagesausflug nach Tunis geschenkt. Schon am Donnerstag soll dann der Bus-Trip stattfinden. Mehr gibt es nicht vom Reiseveranstalter. Andere Touristen aus dem Hotel werden ebenfalls umgebucht

Als erstes bummeln beide durch einen Supermarkt in etwa zwei Kilometer Entfernung und kaufen dort Wasser und Karten. Den Nachmittag verbringen sie am Pool mit Kaffee und Kuchen. Anschließend machen sie noch einen Strandspaziergang an der Promenade von Yasmine in Hammamet. Es bläst jedoch ein heftiger Wind und es ist 18 Grad kalt. Was für ein Sauwetter im April, denkt man sich. Nach dem Abendessen sind beide müde und gehen bald auf ihr Zimmer.

Tommy bekommt vor Aufregung kein Auge zu und geht immer wieder im Zimmer auf und ab und schaut vom Balkon aus dem 17. Stock hinunter auf die Poolanlage. So gegen Mitternacht muss er mal auf die Toilette und entdeckt, oh Schreck, eine Kakerlake an der Badezimmerdecke! Schnell zieht er den Bademantel über und eilt hinunter an die Rezeption, um diese unwürdigen Zustände zu melden. Jedoch kann der Concierge des Hotels kein Englisch, denn er spricht nur Arabisch! Es ist also kurzfristig für Tommy keine Hilfe in Sicht!

Enttäuscht von diesem Versuch der Ehrenrettung durch das 5-Sterne-Hotel fährt er wieder hoch ins Appartement und tötet kurzerhand den Eindringling. Immer wieder plagt ihn dieser Vorfall und an Schlaf ist für Tommy nicht zu denken. Um drei Uhr macht er nochmals im Bad den Check, und, oh Schreck, da sitzt schon wieder eine Kakerlake auf der Badewanne! Auch diesmal verläuft die Attacke für den Feind tödlich.

Tommy kann überhaupt nicht verstehen, woher und wie so ein Tier es bis ins Bad im 17. Stock schaffen kann. Er inspiziert alle Ritzen und möglichen Szenarien, muss aber mit einer Antwort passen.

Als Kerstin und Tommy morgens aufwachen, ist die Welt wie immer in bester Ordnung. Tommy behält sein Geheimnis von den nächtlichen Attacken bis zum heutigen Tag für sich.
In den nächsten Nächten folgt kein einziger Angriff mehr. Es ist für Tommy danach schon ein mulmiges Gefühl, Nacht für Nacht heimlich ins Bad schleichen zu müssen, um eventuelle Kakerlaken-Attacken auszuschalten. Aber es bleibt Gott sei Dank bei den ersten zwei. So kann er beruhigt und ohne Angst den Urlaub mit Kerstin noch voll genießen.

Doch während des einwöchigen Aufenthalts kann sich Tommy keinen Reim darauf machen, wie und wo diese Eindringlinge in ihr Bad gelangen konnten, und das noch im 17. Stock eines 5-Sterne-Hotels! Es bleibt also bei den zwei Kakerlaken aus der ersten Nacht. Das Hotel ist mit einem blauen Auge davongekommen, denn schon die geringste Störung hätte für Tommy zum sofortigen „go out“ geführt.

Am heutigen Dienstag, dem 10. April, machen Kerstin und Tommy einen Ausflug mit dem Bus nach Hammamet. Vorher besichtigen beide noch kurz den Strand mit den bunten Fischerbooten. Wie schon gestern weht auch hier ein sehr heftiger, lauter Wind. Schnell flüchten die zwei in die windgeschützte Medina.

Die Altstadt ist von einer dicken Hafenmauer umgeben. Da tummeln sich viele Händler mit Lederwaren, Schmuck und mit sehr viel Kitsch. So stellt man sich einen orientalischen Basar vor. Viele Menschen drängen sich durch die schmalen Gässchen. Zu Fuß schaffen es beide noch bis zum Bahnhof hinauf. Danach gehen sie sichtlich erschöpft zum Eis essen.

Nachmittags fährt der Bus zurück ins Hotel. Beide sind sehr müde. Nach dem Abendessen stünde noch eine Abendshow auf dem Programm. Sie sind jedoch von dem Ausflug nach Hammamet viel zu müde und verschlafen glatt den Termin.

Beide gehen noch kurz ins Hallenbad. Dort ist es angenehme 30 Grad warm. Endlich etwas Wärme für ihre müden Beine und gefrorenen Herzen. Nun ist der Tag allemal gerettet. Eine gute und ruhige Nacht bringt sie dem Himmel ein Stück näher.
Zu ihrer Überraschung ändert sich schon am nächsten Tag das Bild, denn es ist fast kein Wind mehr zu spüren, blauer Himmel und Sonnenschein sind angesagt. Kerstin und Tommy machen einen Strandtag! Endlich finden sie einen Sonnenschirm, unter dem sie es sich gemütlich machen. Aber leider müssen beide wieder umziehen, weil der Sonnenschirm zu einem anderen Hotel gehört. Aber das macht nichts, der Strand ist ja noch ziemlich leer und schließlich finden sie einen schönen, romantischen Platz mit grünem Gebüsch.

Schnell macht Tommy mit dem Selbstauslöser von ihnen ein Foto. Doch kaum liegen sie im warmen Sand, ziehen erneut schwarze Wolken von Westen her auf. Dieses Bild mit der Sonne das Tommy soeben am Strand machte, zeigen sie dann voller Stolz den Daheimgebliebenen. Es ist und bleibt das einzige Foto von ihnen, auf dem sie für kurze Zeit am Sandstrand liegen!

Die dichten Wolken kommen immer näher und infolgedessen kehren Kerstin und Tommy nach kurzer Zeit wieder ins Hotel zurück. Es ist windig, kühl und nasses Aprilwetter eben! Sie schreiben nun die Ansichtskarten für die Angehörigen in Europa, denn sie befinden sich ja im Moment auf dem afrikanischen Kontinent. Anschließend gibt es Kaffee und Kuchen in Yasemine, sprich: Hotelbar!

Auch der nächste Tag bringt wieder einige Überraschungen mit sich. Es ist Donnerstag, der 12. April. Ihr geschenkter Ausflug von Neckermann in die Hauptstadt Tunis steht auf dem Programm. Der Bus fährt zuerst zum Keramikmuseum, das aber wegen eines Staatsbesuchs geschlossen ist, heißt es von der Reisebegleitung.

Nächstes Ziel ist die prähistorische Stadt Karthago, die einst eine Großstadt in Nordafrika, nahe dem heutigen Tunesien war. Laut Reiseführer wurde sie im Jahre 814 vor Christus gegründet.

Die ganzen Ausgrabungen stehen im Regen. Kerstin und Tommy haben nicht sehr viel Zeit. Tommy knipst trotz des schlechten Wetters einige Fotos von der zerstörten Stadt.
Dann geht es weiter ins Karthago-Museum und in die Kirche aus dem 16. Jahrhundert. Anschließend verläuft die Busfahrt weiter nach Melissa und zum Mittagessen. Danach gibt es fast zwei Stunden Zeit zur freien Verfügung in Sidi Bou Said!

In diesem Ort stehen diese typischen weißen Häuser, wie es sie in Tunesien überall gibt. Wer diesen Ort vom Namen her nicht kennt, der kennt ihn sicher aber aus vielen Illustrationen und die berühmten Cafés, die hier anzutreffen sind: Café des Nattes, Art Café und Café des Delices mit atemberaubendem Ausblick über die Bucht. Überall säumen viele schöne Geschäfte die Gässchen. Tommy und Kerstin kaufen natürlich auch ein paar Souvenirs und ein paar Karten von den Cafés. Danach fährt der Bus weiter ins Musik-Museum.

Dort endet dann unser Ausflugsprogramm. Die eigentliche Fahrt in die Innenstadt von Tunis fällt wegen den angekündigten politischen Gründen aus.

Beiden ist es egal, denn Kerstin und Tommy haben ja schon allerhand in Tunesien gesehen. Leider konnten sie nicht alles ausgiebig genießen, weil der Regen und das doch recht stramme Reiseprogramm das verhindert haben.

Heute ist Freitag, der 13. April! Hoffentlich ist das kein schlechtes Omen, denn sie planen erneut eine Busfahrt nach Nabuch.

Kerstin sagt:

„Freitag ist immer Markttag!“

Nach etwa einer Stunde Fahrt erreicht der Bus einen großen Markt unter freiem Himmel. Da gibt es alles, was das Herz begehrt: Leder- waren, Töpfereien, Kunsthandwerk und so weiter und so fort. Überall gibt es viele Leute, Einheimische und Busse voller Touristen, die ankommen und wegfahren.
Kerstin und Tommy schauen sich das Ganze mal in Ruhe an. Tommy hat immer die Videokamera und den Fotoapparat dabei und nimmt alles auf, was vor seine Linse kommt. Die Sonne scheint, es ist angenehm mild, also die besten Voraussetzungen für gute Schnappschüsse! Kerstin kauft eine Kameltasche, eine Lampe, eine Kamelmütze und ein aus Holz geschnitztes Kamel. Tommy kauft eine Trommel und ebenfalls eine tunesische Mütze. Man findet immer überall noch ein kleines Souvenir, denn es kostet nicht allzu viel. Sie haben alles angeschaut, ein hoffentlich schönes Video gemacht und viele Bilder geknipst.

Kerstin ersteigert am Ende der Einkaufs-Tour eine angeblich 175 Tunesische Dinar teure goldene Laterne für sage und schreibe ihre letzten 15 Dinar. Es war das letzte tunesische Geld, das beide bei sich hatten. Nach diesem anstrengenden Einkaufsbummel sind sie sehr müde. Nun fährt der Bus zurück ins Hotel.

Dort heißt es erneut Karten schreiben. Tommy hat schon seinen kulturellen Text parat:

„Auf unserer Entdeckungstour durch das Tor des Orients schwebte unser fliegender Teppich an Basaren vorbei, über Medinas und sanft abfallende Sandstrände des afrikanischen Kontinents direkt in den tunesischen Paradiesgarten. Der Zauber der Wüste und der Duft von orientalischen Gewürzen verzauberten unsere Sinne bis aufs Äußerste."

Zusammen mit den Urlaubskarten fliegen Kerstin und Tommy mit der Tunisair wieder zurück in ihre Heimat auf dem europäischen Kontinent. Um die Karten frankieren zu können, hatten sie leider kein Geld mehr für die Briefmarken!

Malediven - Holiday Island

August 2001

Heute schreiben wir den 14. August 2001. Kerstin beginnt bereits um 9:00 Uhr morgens mit den Einkäufen. Sie braucht für den Urlaub auf den Malediven noch die Angelika-Wurzeln, ein Moskitonetz, Dübel, Schrauben, Kleber etc. etc. , das alles gibt's bei Obi.

Am Mittag dann Koffer packen, alles geht rein, genau 20 Kilo. Und schon kommt, wie immer die S-Bahn. Stets beginnt auch hier um 15:00 Uhr am Nachmittag ihr Urlaub. Um 20:30 Uhr ist der Abflug vom Flughafen München mit einer Boeing 757B - 214 Plätze, mit Ziel Malé, der Hauptstadt der Malediven.

Schnell verschwindet die Maschine am dunklen Nachthimmel über München. Kerstin und Tommy sind müde und hungrig von den vielen Vorbereitungen.

Kurz nach Mitternacht, am 15. August, fliegt die Boeing schon über den Persischen Golf. Zwei Zeitzonen liegen schon hinter ihnen und somit beginnt schon ihr zweiter Urlaubstag! Man erkennt in der Dunkelheit die Feuersäulen, die durch das Abbrennen des Gases auf den Ölfeldern entstehen. Bald gibt es Frühstück an Bord. Seit gut sieben Stunden brummen unermüdlich die Motoren der Maschine und das ohne Unterbrechung. Alles ist ruhig an diesem Morgen. Kurz danach tauchen im Indischen Ozean die ersten Koralleninseln auf. Wie türkisfarbene Smaragde liegen sie im blauen Ozean. An ihren Kanten brechen sich die Wellen und geben ihnen einen weißen, leuchtenden Rand. Große Inseln, kleine runde sowie Mini-Inselchen mit langgezogenen Atollen bestaunen die Fluggäste bis zur Landung zur linken und rechten Seite.

Etwas grob setzt die Maschine bei der Landung auf. Seit ihrem Abflug in München sind nur neun Stunden vergangen. Sie haben 6800 Kilometer am Stück zurückgelegt. Beim Aussteigen merkt man, hier auf Hulhulé ist es schwülwarm!

Hulhumalé ist der einzige Flughafen auf der ganzen Welt, der nicht so heißt, wie es auf dem Flugschein steht. Die Haupt-Insel Malé, so steht es eigentlich auf dem Ticket, liegt nämlich wenige Kilometer weiter westlich davon und ist die Hauptstadt der Malediven. Der Flughafen jedoch liegt auf einer künstlich erschaffenen Flughafeninsel mit dem Namen Hulhumalé.

Nun beginnt das Auschecken aus dem Terminal. Zoll, Pass, Visakontrolle, alles kein Problem.

Danach müssen Kerstin und Tommy die ITS-Reiseleitung aus Deutschland suchen, um die Eintragung auf der Empfangsliste vorzunehmen. Anschließend heißt es, auf das Speed-Boot warten. Währenddessen wird kühles Cola für alle Fluggäste verteilt. Das kostet uns jedoch läppische vier Dollar pro Cola-Dose, die alle noch in bar bezahlen müssen!

Nach etwa einer Stunde Wartezeit geht's plötzlich los! Mit dem Speed-Boot verlassen fast alle angekommenen Touristen den Hafen von Hulhumalé, vorbei an Inseln mit Häusern, Hotels, Palmen und Gärten. Auf der linken Seite erkennt man die mächtige Inselhauptstadt Malé, mit den vielen großen Schiffen am Hafen. Bald verschwindet sie jedoch am Horizont und in weiter Ferne ist nichts mehr zu sehen, als das türkisblaue Meer. Weiße Wolken hängen am blauen Himmel. Postkarten- Stimmung würde man das nennen. Ihr Boot gleitet dröhnend über das flache Wellenmeer. Ein weißer Kühlschrank mit Bullauge dient unten auf dem Schiff als Klo.

Die Türe ist von innen nicht verschließbar. Das ist sehr unangenehm für den Benutzer. Ein Plastikeimer steht in der Ecke und dient als Spülung mit Meerwasser. Er ist jedoch leer. Im Innern dieses Klos möchte man nicht lange verweilen.

Lieber schaut Tommy wieder mit Kerstin zusammen hinaus auf das Meer. Dort springen schon seit einiger Zeit die Tümmler Delfine vor Freude in die Lüfte

und drehen sich dabei noch wie eine dicke Schraube, um dann wieder ins Wasser zu tauchen. Sie haben dabei viel Spaß, das merkt man.
Dieses kleine Schauspiel können die Fahrgäste vom Boot aus beobachten. Manchmal gibt es auch Applaus, wenn ein Delfin einen besonderen Luftsprung vorführt. Es dauert manchmal nur einige Sekunden, doch der Spaß dabei ist groß!
Fliegende Fische begleiten unser Speed-Boot ebenfalls. Sie sind etwas kleiner als Forellen, hüpfen ab und zu aus dem Wasser und fliegen einige Meter in der Luft am Boot entlang. Sie gleiten dabei nur wenige Zentimeter über den Wellen des Bootes, bevor sie wieder ins Wasser eintauchen.

Nach geschlagenen dreieinhalb Stunden rasanter Fahrt erreicht das Speed-Boot das berühmte Ari-Atoll. Endlich tauchen in der Ferne auch wieder kleine Inselchen auf, von denen eine auch unsere sein könnte. Man erkennt auch türkisfarbene Strände, grüne Kokos-Palmen, weiße Korallenstrände, soweit man das vom Boot aus beurteilen kann.

Immer wieder fahren sie zwischen den Inseln hindurch, ohne dass das Tempo gedrosselt würde. Auf dem Boot breitet sich nun langsam Ungeduld aus. Die Videokameras der Feriengäste halten alles fest und mit ihren Fotoapparaten klicken sie dann um die Wette, wenn wieder eine neue Insel auftaucht, obwohl jede Insel fast immer gleich aussieht. Man fragt sich nun, wann sie alle endlich da sind.

Manchmal kommt das Boot einer Insel auch ziemlich nahe. Himmel, Wolken, Strand und Meer bilden dann eine Einheit und betören ihre Sinne.

Man hofft, das Boot würde bald ankern, damit man endlich aussteigen kann. Man ist im Paradies angekommen, wo nun die Vorstellungskraft an ihre Grenzen stößt. Es ist eine Umgebung von überwältigender Schönheit und Anmut. Die Stimmung ist unbeschreiblich toll.

Wie in einer Märchenwelt erscheinen die „Inselchen" immer schneller am Horizont und ziehen am Boot vorbei wie in einem Film.
Und dann werden plötzlich die Motoren des Speed-Bootes gedrosselt. Eine Trauminsel taucht auf, viel schöner als alle anderen bisher. Sie ist von einem türkisblauen Meer umgeben und hat leuchtend weiße Korallenstrände und ist mit grünen Palmen und vielen üppigen Pflanzen bewachsen. Ein wahrer Botanischer Paradiesgarten mitten im Indischen Ozean. Und dort legt das Boot endlich an! In hellen Marmor gemeißelt steht am Steg in großen Lettern: Sun-Island. Alle müssen aussteigen. Ende der Bootsfahrt. Nicht jedoch für Kerstin und Tommy. Die müssen noch umsteigen!

Ihr Gepäck wird auf ein anderes „Dhoni" – ein einfaches Schiff - umgeladen. Sie sind die einzigen Gäste, die dann auf die nächste Insel gefahren werden. Sie heißt

„Diffushi“ oder auf Deutsch: Holiday Island. Der Bootsfahrer hebt als gutes Zeichen den Daumen hoch!

Schon bald gibt der Kapitän das Zeichen zur Abfahrt. Einsam stehen ihre beiden Koffer am Bug des Schiffes, das nun langsam und leise tuckernd über die Lagune zur Schwesterinsel hinübergleitet. Kerstin und Tommy fahren sozusagen dem Höhepunkt ihrer Träume und Emotionen entgegen. Da kriegt man schon mal Herzklopfen.

Es ist die atemberaubende Ankunft auf „Holiday Island“, die sie gleichzeitig ins Reich dieser virtuellen Welt katapultiert. Wahrlich wie in einer unwirklichen Welt kommt die Insel immer näher und näher. Man kennt das aus Filmen, von Postkarten, aus Illustrierten, immer dann, wenn vom Paradies die Rede ist.

Die Insel präsentiert sich den beiden Neuankömmlingen schon vom Boot aus von unermesslicher Schönheit und Grazie. Geschmückt von einem weißen Korallenstrand, edlen Bungalows, kleinen

Häuschen und eingebettet in einen Gürtel aus grünen exotischen Pflanzen und Palmen. Dort müsste man mal Urlaub machen, geht es einem spaßhalber durch den Kopf. Um das alles zu verkraften, was ihre Augen augenblicklich sehen, braucht es seine Zeit.
Kerstin und Tommy werden am Ende des Steges von der Insel-Mannschaft mit feuchten Tüchern empfangen, die sie ihnen auf die Stirn legen. Dazu gibt es noch ein kühles Willkommensgetränk. Danach wird das Gepäck zu ihrem Strand-Bungalow gebracht und schön geordnet vor die Tür gestellt.

Jedoch stellen beide bald fest, dass das eigentliche Management ihre Ankunft schlichtweg vergessen hat, denn niemand von der Agentur hat sie wirklich empfangen. Es gibt auch keine Rezeption, wo sie den Pass hergeben müssen, geschweige denn ein Abendessen. Die Küche hat heute geschlossen. Man sagt ihnen, morgen können sie dann alles erledigen.

Dafür gibt es am weißen Korallenstrand ein italienisches Fest mit Musik und Kerzenlicht. Bunt geschmückt stehen die Tische im feinen Sand. Es wird allerhand Kulinarisches aufgetragen.

Alle beteiligten italienischen Gäste des Festes sind nett und freundlich und haben sie selbstverständlich auf Englisch zu diesem außergewöhnlichen Event eingeladen.

Nach dem unerwarteten Abendessen am Strand, sind Kerstin und Tommy froh, endlich ins kuschlige Bett zu kommen.

Damit ihre Gedanken und Emotionen den verdienten und sanften Schlaf finden, hat sich Tommy diese Erinnerungen noch kurz aufgeschrieben.

Wenn man so möchte, könnte man als Außenstehender auch meinen, dass es sich bei ihnen eventuell um eine virtuelle Hochzeitsreise handeln könnte, die sie ins Paradies der Träume brachte.

Am nächsten Morgen ist schon der 16. August und laut Kalender schon ihr dritter Urlaubstag. Durch den Nachtflug nach Westen hat sich das Datum um einen Tag verschoben. Ihr erstes Frühstück gibt es auf den Malediven am Tisch 57. Der Kaffee schmeckt hervorragend und die Brötchen haben europäischen Standard. Man bekommt Croissants mit Schokolade oder Pfirsich. Kerstin bestellt sich dazu einen Tee. Das Büffet ist reichhaltig und vielfältig.
Danach brechen Kerstin und Tommy zu ihrer ersten Inselwanderung auf. Eine Umrundung dauert voraussichtlich etwa eine Stunde. Es ist schwülwarm, um die 30 Grad, die Wassertemperatur beträgt 28 Grad. Es gibt allerhand Interessantes zu entdecken. Die meisten Bungalows befinden sich unter Palmen und haben einen eigenen Strandzugang.

Was es auf Holiday Island nicht gibt, das sind Geschäfte, wo man etwas kaufen kann, ein Kino oder ein Theater, wo man abends hingehen könnte. Alles, was man jedoch auf der „Insel des Glücks“ geschenkt bekommt, ist Zeit! Kostbare Zeit zum Ausspannen!

Das Leben auf einer so schönen Koralleninsel verläuft langsam und ruhig. Ein bisschen zaghaft starten Kerstin und Tommy ihre Insel-Tour. Sie haben für alles schön viel Zeit. Es gibt außer der Zeit noch einen anderen unvergleichbaren Reichtum auf Diffushi, nämlich den der Flora und Fauna.

Beide kommen gut voran und erreichen nach kurzem Gang entlang der vielen Kokospalmen den Hafen. Dort bringen kleinere Schiffe die benötigten Güter auf die Insel. Auf der anderen Seite befindet sich der hölzerne Landesteg für die Touristen und Gäste, die dieses Ziel für ihren Urlaub gebucht haben. Meistens kommen sie dort mit dem Speed-Boot an.

Nach der Tour gehen sie in der seichten Lagune schnorcheln. Kerstin entdeckt allerlei bunte Fische. Die Vielfalt ist enorm. Man befindet sich ja auch auf den Malediven! Natürlich ist diese Auslese in der

Unterwasserwelt auch bei den Korallen feststellbar.

Die Fischlein verstecken sich hinter ihnen und kommen dann plötzlich hervor, um zu gucken, was da los ist. Durch die Taucherbrille erkennt man am Grund auch riesengroße Muscheln. Eine bunte Welt der Natur, unvergleichbar mit allem, was man sonst so kennt.
Am Nachmittag gehen beide ganz entspannt zum Eis essen: Vanille-Eis mit Maracuja, Banane und Kaffee. Schöner könnte es an ihrem dritten Urlaubstag nicht sein. Sie sitzen ganz gemütlich unter den Palmen im Schatten und genießen ganz bewusst das Nichtstun.

Abends bummeln Kerstin und Tommy noch auf dem langen Steg entlang. Im seichten Wasser entdecken sie noch zwei kleine Haie, die sich wohl im knietiefen Wasser verirrt haben. Eine Schildkröte krabbelt durch den Korallensand langsam ins Meer hinaus.

Spätabends beobachten viele Gäste am Horizont noch ein strahlendes Gewitterleuchten, jedoch ohne Donnergrollen.

Am Freitag, den 17. August 2001 sind sie schon um acht Uhr aufgestanden und gehen nach der Morgendusche zum Frühstück. Da haben beide richtig zugeschlagen, bis der Bauch endgültig voll ist. Natürlich auch wieder mit Tee und Kaffee dazu.

Auf dem Heimweg hat Kerstin eine der zahllosen Kokosnüsse, die auf dem Boden liegen, mitgenommen. Mit seinem Schweizer Messer hat Tommy sie dann vor dem Bungalow geknackt. In ihrem Inneren befindet sich eine zweite harte Nuss. Das ist dann die mit der leckeren Kokosmilch drin und natürlich auch mit dem köstlichen Fruchtfleisch. So früh am Morgen genießen Kerstin und Tommy ein kulinarisches zweites Frühstück, obwohl sie schon satt sind.

Kerstin baut aus der Schale zwei Herzschiffchen sowie aus den Palmenblättern einen kleinen Teppich. Dann gehen sie in der Lagune ein bisschen schnorcheln. Das Riff ist ja direkt vor der Haustüre.

Anschließend ist eine weitere Insel-Tour geplant. Diesmal hat Tommy seinen Fotoapparat dabei. Sie spazieren zuerst an der Tauchbasis vorbei, bestaunen die Bungalowanlage und die Sendestation mit den riesigen Antennen. Diese stehen auf zwei großen Öltanks. Was für ein grandioses, skurriles Motiv, denkt sich Tommy.
Auf der rechten Seite der Insel erreichen sie nach kurzem Marsch das „Dorf" der Einheimischen oder, anders gesagt, der Angestellten dieser Insel. Alles ist dort bestens geordnet und organisiert. Weiterhin entdecken sie die Wäscherei, die Entsalzungsanlagen, die Stromgeneratoren, eine Moschee und natürlich viele Wohnungen. Am Dorfausgang steht unter einer Palme eine ganz normale blaue Telefonzelle aus Glas, wie sie auch überall in der Welt anzutreffen ist.

Tommy zu Kerstin: „Schau, hier kannst du kurz deine Mama in Deutschland anrufen!“

Geht natürlich leider nicht, weil sie noch gar keine Wechselmünzen fürs Telefonieren haben.

Bei ihrer weiteren Tour um die Insel entdecken Kerstin und Tommy noch schöne Holzkisten, die wahrscheinlich von den Importfrüchten aus Sri Lanka, Indien oder Brasilien stammen. Gerne hätte Tommy einige von ihnen mitgenommen, denn sie sind wirklich hübsch und sehr dekorativ. Doch aus Platzgründen im Koffer muss Tommy sein Vorhaben begraben.

Danach entdecken beide noch einen Komposthaufen und direkt daneben noch jede Menge Kokosnüsse, die auf dem Boden herumliegen. Nach der Mittagspause gehen sie ins Palmen-Café zum Eis essen und teilen sich einen Bananen-Split. Hinter dem Tresen stehen insgesamt fünf Ober, die die Bestellung von Kerstin und Tommy bearbeiten!

Es ist schwülwarm und so bestellen beide noch ein Wasser dazu. Die Flasche Mineralwasser mit 1,5 Litern kostet dort im Café nur zwei Dollar. Im Restaurant, das nur zehn Meter weit entfernt liegt, wo es das Abendessen gibt, zahlen sie beim Abendessen drei Dollar achtzig für die gleiche Flasche. Noch teurer ist das Wasser im Kühlschrank ihres Bungalows, da kostet die Flasche 5,80 Dollar! Soviel zu den Wasserpreisen auf den Malediven!
Am Nachmittag machen sie eine kleine Lese-Pause am Strand. Tommys Gesicht ist von der Sonne schon ein bisschen verbrannt und seine Nase verliert nach und nach die äußere Haut. Da braucht er schon die Hilfe von Krankenschwester Kerstin. Nach erfolgreicher Behandlung werden die neuesten Erkundungsergebnisse sogleich zu Papier gebracht.

Beim Abendspaziergang nach dem Essen müssen sich Kerstin und Tommy etwas sputen, um den ersten wirklich gut sichtbaren Sonnenuntergang auf den Malediven nicht zu verpassen! Heute gibt es kaum Wolken am Horizont, also gute Voraussetzungen für ein Super-Event! Draußen am langen Bootssteg setzen sie sich noch ein bisschen hin, füttern die Fische mit Vollkornbrot, das sie noch aus dem Flugzeug mitgenommen haben.

Und dann ist es endlich soweit: ein Postkarten-Bild für die Ewigkeit. Grauweiße Wolken, Abendrot, dahinter verbirgt sich die Sonne, die sich dann langsam von dem schönen Tag verabschiedet und im Indischen Ozean versinkt. Vor ihnen die Boote am Steg, die im ruhigen Lagunenwasser nur dezent hin und her schaukeln. Ab und zu springt ein kleines Fischlein aus dem Wasser und schnappt sich eine Fliege und fällt dann platschend ins Wasser zurück. Nur dieses kleine Geräusch unterbricht diese romantische Sonnenuntergangsstimmung auf der Ferieninsel.

Langsam verschwinden die letzten Sonnenstrahlen hinter den Palmen auf der

Nachbarinsel Sun Island, die den Namen hier zurecht bekommen hat, weil dort von Holiday Island aus betrachtet die Sonne untergeht. Der Himmel färbt sich feuerrot.

Beide bleiben noch ein bisschen auf dem Steg und bestaunen bei der schnell hereinbrechenden Dunkelheit das Aufleuchten der Sterne und das hell schimmernde Band der Milchstraße am Nachthimmel. Nun, an diesem späten Abend, ist es auch die Zeit für die Analyse und Tommy fragt Kerstin, ob es ihr hier gefällt. Die Antwort ist immer die gleiche: „Ja, sehr!"
Dann bummeln die zwei Hand in Hand nach Hause, denn man ist müde und satt von den vielen Wahrnehmungen an einem ganz normalen Tag auf den Malediven.

In der Nacht zum Samstag weckt sie um drei Uhr früh ein heftiger Monsunregen mit Blitz und Donner. Eine kühle Brise treibt die Wolken vom Meer her über ihre Insel. Wolkenbruchartig regnet es auf die üppig grüne Fauna nieder.

Fasziniert von diesem Naturschauspiel stehen beide draußen auf ihrer Terrasse und genießen die Ankunft dieses neuen Tages. Schnell holt Tommy seine Videokamera und filmt diesen einmaligen Regenguss, der auf Diffushi niedergeht.

Nach dem üblichen Drei-Gänge-Frühstück - Kaffee, Croissant, Ananas, - schaffen es Kerstin und Tommy tatsächlich noch, drei Urlaubskarten an die Daheimgebliebenen zu schreiben. So nebenbei ist noch baden im großen Salzwasserpool angesagt. Das Wasser fühlt sich etwas kühler an als üblich, weil es sich wahrscheinlich wegen des Regens in der Nacht etwas abgekühlt hat.

Als beide kurz nach dem Schwimmen auf ihr Zimmer möchten, ist noch der Malediven-Putzdienst da. Während der junge Mann den Boden fegt, schaut er nebenbei im Fernsehen Musik-TV-Spots, als würde er da wohnen. Aber er bemerkt die beiden nicht. So warten sie einfach, bis er mit dem Saubermachen fertig ist und den Bungalow mit dem Putzeimer wieder verlässt.

Dann holt Tommy die Kamera, um die ersten langen Szenen auf der Insel aufzunehmen. Er möchte nochmals ein paar spezielle Filmaufnahmen von Diffushi machen. In Frage kämen die Palmen, die Meeresbrandung am Riff und natürlich der lange Landungssteg mit den üblichen Booten und den vielen Menschen, die hier täglich ankommen oder die Insel verlassen. Nach Tommys Idee wäre es so eine Art Präsentations-Video der Insel.
Dann geht es endlich mit dem Filmen los und schon bald hat Tommy die ersten langen Schwenks im Kasten. Er braucht dafür jeweils einen sicheren Platz, um die Kamera abzustützen, damit nichts wackelt. Manchmal darf auch Kerstin durch das Bild wandern. Bis zum Mittag haben beide die schönsten Plätzchen der Insel auf Film gebannt.

Am Nachmittag meint Kerstin zu Tommy, sie könnten doch einmal um die ganze Insel herum schwimmen. Normalerweise schafft Tommy gerade mal fünfzig Meter. Bei dieser Dimension hier muss er wohl mit einer schwimmenden Umrundung passen. Schon nach dem ersten Schwimmversuch entscheidet er sich doch lieber für das Aqua-Jogging. Aber auch bei dieser Variante hält er nicht lange durch. Da fehlt es ihm an der Kraft und der Ausdauer.

Nachdem er etwa zehn Minuten im knietiefen Wasser gegangen ist, schwimmt plötzlich ein Baby-Hai auf Tommy zu! Oder ist es vielleicht ein riesiger Hecht oder gar ein Thunfisch? Jedenfalls ist es ein Riesending, so dass sich Tommy und Kerstin sicherheitshalber ans rettende Ufer zurückziehen. Auch andere Badegäste sind von dieser radikalen Lösung überzeugt. Von dort aus können sie in aller Ruhe beobachten, wie das „Ungeheuer-Nessie“ wieder kehrtmacht und ins offene Meer zurückschwimmt.

Beide gehen nun auf die andere Inselseite. Die Lagune ist dort zu flach, um zu schwimmen. Und außerdem ist das Wasser dort viel zu heiß, weil die Sonne nun gnadenlos vom Himmel sticht. Also eilen sie schnell unter die schattigen Palmen, wo sie den Weg um die Insel herum fortsetzen. Die letzten zehn Meter vor der Ankunft in ihrem Bungalow schwimmen Kerstin und Tommy heim. Es ist ihre erste Wasserumrundung auf Diffushi.

Danach muss alles ganz fix gehen, denn es steht der nächste Sonnenuntergang auf dem Programm und den möchte Tommy gerne auf Video Hi-8 aufnehmen! Alles läuft nach Plan. Ein kleiner Schwenk nach links, ein kleiner Schwenk nach rechts und dann der Höhepunkt des Sonnenuntergangs in einer Supertotalen. Die ganzen Leute, die sich deswegen auf dem Steg versammelt haben, sind begeistert. Glutrot versinkt die Sonne im Indischen Ozean. Der Himmel begeistert in purpurroten Farben bis ins Tiefblaue. Was für ein tolles Bild! Kein Sonnenuntergang gleicht dem anderen und jeder ist doch so einzigartig!

Aber schon ein paar Minuten später stehen Kerstin und Tommy im Dunkeln und machen sich auf den Rückweg zum Bungalow. In den Palmwipfeln hört man noch ganz außergewöhnliche Vogelstimmen in der Dämmerung. Tommy bannt die Vogelstimmen noch auf Video und dann ist Schluss für diesen Tag.

Sie ziehen sich kurz um, Kerstin im Wickeltuch und Tommy in legeren hellen Hosen. In der Dämmerung gehen sie noch kurz zum Steg zurück, um die bunten Fische zu bewundern und natürlich in dieser klaren Nacht auch den Sternenhimmel mit der imposanten Milchstraße.

Kerstin:

Ein Blick in Kerstins Tagebuch offenbart die Schönheit dieser Insel immer wieder aufs Neue. Wenn Kerstin und Tommy barfuß auf Entdeckungstour gehen, liegen hunderte von Blüten auf dem weißen Korallensand. Die Schraubenpalmen, die einzigartig in dieser Gegend wachsen, hat sie endlich als solche erkannt. Es sind die skurrilen Gewächse, die einem hier sofort

zu hunderten ins Auge stechen. Der Botanische Garten präsentiert sich hier als ganz normal. Bei jedem Inselgang duck man sich und versucht unter den Luftwurzeln hindurch zu gehen. Man schiebt die großen Blätter beiseite und stößt überall auf eine pinkfarbene, rosarote sowie weißrote Blütenpracht. Die Blätter sehen so frisch, grün und makellos aus, als wären sie soeben gewachsen. Da denkt ein Mitteleuropäer vielleicht sofort an das Blattglanzspray.
Nun versucht Kerstin, eigenständig eine Kokosnuss zu öffnen. Mit Tommys Schweizer Messer sitzt sie vor ihrem Bungalow und bearbeitet geschickt ihre Kokosnuss.

Mit aller Kraft versucht sie, die Außenschale zu knacken. Nach einiger Zeit schafft sie es tatsächlich und befreit die kleine Innennuss, die man aus dem Supermarkt als Kokosnuss kennt. Es ist schon ein tolles Gefühl, wenn man auf dem Maledivenboden sitzend die Kokosmilch und das leckere Fruchtfleisch einer

Malediven-Kokosnuss genießen kann. Kerstin schenkt Tommy darauf ein hinreißendes Lächeln.

Heute Morgen wollten beide schon frühzeitig aufstehen, doch Kerstin genoss bis drei Uhr nachts schlaflos die Klimaanlage in vollen Zügen. So wurde das mit dem Aufwachen nichts. Das Wetter auf den Malediven ist herrlich, jedoch ist man manchmal so müde, dass man das Schlafen allem Anderen vorzieht. Um acht Uhr können beide zum Frühstücken gehen. Schnell ist man mit dem Anziehen fertig, denn es reicht ein kurzes Kleid. Das Motto lautet hier auf der Insel: Nur so viel wie nötig und so wenig wie möglich, denn es ist schon schwül am frühen Morgen und tropisch warm.

Ein paar Schritte auf dem Korallensand an der Lagune entlang, der Blick zwischen den grünen Blättern, dem Licht- und Schattenspiel der Palmen auf die türkisblaue Lagune besticht bei jedem Ansehen aufs Neue. Heute ist das Wasser ganz ruhig. Ständig ändern sich die Stimmung und das Licht auf Holiday Island.

Ein neues Wolkengebilde zeigt oft ein komplett neues Farbenspiel am Himmel. Wind und Temperatur verhalten sich in kurzer Zeit universell. Die Geräusche beeinflussen auch die Tiere und die Vögel in ihren Lauten. Sie klingen wie sanfte Flötentöne und sind so ganz anders als bei uns.
Kerstin:

Oft wundere ich mich, dass an diesem Ort alles „echt" ist. So viel Kunstwelt ist man von Zuhause schon gewohnt, dass es einem hier schwerfällt, echtes wahrzunehmen. Im Frühstücks-Pavillon ist es noch ruhig und sie finden alles, was ihr Herz begehrt. Freundlich grüßen die immer bemühten und aufmerksamen Ober, deren weiße Hemden stets frisch gebügelt sind. Die Kochmützenköche stehen immer elegant hinter den warmen Gerichten und den malerischen Pfannen. Die Ventilatoren der Klimaanlage drehen sich, die Bastrollos rund um den Speisesaal herum sind hochgewickelt und geben den Blick frei auf die immer wieder umwerfende Traumkulisse der Malediven.

Frühstücken und essen im Urwaldpark – einfach super. Viele Tische sind liebevoll vorbereitet, mit extra gestärkten, persilweißen, elegant gefalteten Stoffservietten, Gläser blinken, das Silberbesteck siebenteilig am Platz und ein kleines Kärtchen am Tisch mit der Bungalownummer drauf. Ständig wechselt jeden Tag die Überdecke, heute grün, morgen blau, gelb und rosa. Leise Musik strömt durch den Saal. Der Ober rückt einem immer den Stuhl zurück, wenn man zum Essen kommt. Das ist ein ganz normales Frühstück auf Holiday Island. Das Büffet ist schwer zu beschreiben. Feine Köstlichkeiten mit vielen liebevoll bereiteten Platten, Schüsseln und Pfannen. Alles frisch und mit viel Aufwand zubereitet.

Das ist schon ein Schlemmerurlaub pur. Dazu werden frische Brötchen mit Kaffee oder mit Tee gereicht. Anschließend gibt es viele Varianten, wie Kerstin und

Tommy zu ihrem Bungalow zurückgehen können. Sie wählen einen kleinen Umweg durch den Palmgarten.

Das Zimmer wurde inzwischen angenehm frisch geputzt, denn ein frischer Duft weht ihnen entgegen, als sie die Türe ihres Märchenschlosses öffnen. Die Bettdecke ist in einer neuen Variante gefaltet und mit Malediven-Blüten belegt. Es ist innen angenehm kühl, sauber und top geputzt.
Kerstin packt schnell die Badetücher und Schnorchel-Sachen sowie die Taucherbrille in die Badetasche. Das Meer liegt heute Morgen traumhaft ruhig in der Lagune und glänzt wie ein türkisblauer Spiegel. Im Grunde ganz schwierig zu beschreiben.

Heute zieht es beide weit hinaus in die Lagune. Begleitet werden sie von vielen bunten Fischchen. Im knietiefen Wasser stampfen sie etwa dreihundert Meter bis zum Riff hinaus. Die Neugier ist stärker, als die Bedenken gegen einen heranschwimmenden Baby-Hai.

Immer wieder blicken Kerstin und Tommy mit ihren Taucherbrillen tief ins Wasser. Sie sehen Seesterne, bunte Fischchen und einen Rochen, der ganz nah seinen Weg durch die Korallen sucht. Er hat bei genauer Betrachtung blau-grüne und rote Spitzen. Tommy schreitet in seinem weißen T-Shirt voran. Hinter ihnen taucht ein Schnorchel-Pärchen auf. Nun hätte ein Hai eine gute Auswahl!, denken sie sich.

Das beruhigt fürs Erste und motiviert beide, den kurzen Weg bis zum Riff zu wagen. Es sind nur noch einige Meter zum eigentlichen, wirklich tiefen Abgrund. Aber genau diese Stelle ist extrem gefährlich wegen der starken Strömung. Kerstin hat ja den Rettungsschwimmer-Schein, denkt sich Tommy.

Die Korallen am Boden verdichten sich. Es ist schwer, auf ihnen zu gehen und man muss höllisch aufpassen, denn es fehlt an den Beinen der Halt. Das Lagunenwasser steht einem schon bis zum Bauch. Manchmal knackt es unter den

Füßen, wenn man versehentlich auf eine Koralle tritt. Tommys Bauchgefühl sagt, es wäre wohl jetzt besser, umzudrehen.

An dieser Stelle ist Schnorcheln extrem gefährlich, denn man könnte durch die starke Strömung weggerissen werden. Da hilft nur ein Boot als Begleitung.

Man möchte ja nichts unabsichtlich zerstören. Der gefährliche Ausflug endet nun etwas vor der Kante. Kerstin und Tommy drehen um. Es sind einfach zu viele Korallen am Boden, die man lieber schützen möchte.
Es ist sehr heiß, die Sonne blendet sie beim Rückzug und glitzert im Wasser. Kerstin legt sich aufs Wasser und paddelt mit den Armen dem Ufer entgegen. Dabei bewundert sie die bunten Fische mit orangefarbenen Flossen, schwarzen und roten Tupfen, kleine rote, türkisblaue und viele viele schwarz-weiß gestreifte Fische schwirren umher.

Ganz im flachen Wasser verschwinden sie plötzlich in Sekundenschnelle. Manchmal schwimmen sie jedoch auch ganz neugierig auf die Taucherbrillen zu, um zu gucken, wer da kommt.

Kerstin und Tommy erreichen wieder den Strand. Die Haut ist voller Salz, die Taucherbrillen beschlagen und sie sind dazu noch müde. Schnell sind sie wieder daheim unter der Außendusche und liegen anschließend am eigenen Postkartenstrand. Es ist alles sehr ruhig an diesem Tag und es ist eine schöne Stimmung, den Klängen der Insel zu lauschen. Die schwimmenden weißen Liegestühle schaukeln im Badewannenwasser ganz leicht hin und her. Man fühlt sich nun wie im Paradies und vergisst ganz schnell, dass dies hier gar kein Traum ist, sondern ihr wirkliches Leben.

Nach dem Mittag genießen sie im „Steg-Café" ihren Kaffee. Kerstin und Tommy sitzen bequem in den braunen Rattan-Polstergruppen und lassen sich von dem kühlen Wind der Ventilatoren verwöhnen. So gut fühlt sich der Urlaub an auf den Malediven!

Am nächsten Morgen spüren beide wieder die Wirklichkeit des Lebens. Schon um neun Uhr morgens klopft der Putz-Mann an der Tür und wirft beide aus dem Bett. Schnell ziehen sie sich das Nötigste über und eilen zum Frühstück davon. Erst nach dieser Schreckstunde können sie später dann duschen und an den Strand gehen. Wie jeden Sonntag scheint natürlich die Sonne und wie immer, ist es schon wieder dreißig Grad im Schatten.

Für den heutigen Tag planen Kerstin und Tommy einen Ausflug mit dem Shuttle-Boot auf die Nachbarinsel „Sun Island". Sie beantragen an der Rezeption ein „Visum". Folgendes wird gefragt: Zimmernummer, Bungalow, Ankunfts- und Abflugtag des Urlaubs, Name und Anschrift – Unterschrift, Abfahrtszeit und Rückfahrzeit nach Holiday Island. Man kann natürlich auch alles ein bisschen übertreiben, denkt man sich bei so viel Papierkram für einen Blitzbesuch.

Um zwölf Uhr fahren sie mit dem Sun-Holiday-Shuttle zur Nachbarinsel hinüber. Beim Aussteigen bemerken beide sofort, dass der Holzboden des Stegs unerträglich heiß ist. Die zwei sind ohne Schuhe angereist und stehen nun barfuß da! Schnell rennen sie über den glühenden Steg zum rettenden Sandstrand der Insel.

Also auf „Sun Island“ erwartet die Gäste und die Neuankömmlinge „Hollywood pur!“. An den Palmen hängen überall farbige Spotlampen und die meisten Wege sind aus Holz. So können die Fahrradfahrer überall hinfahren. Und hier auf der Insel besitzt fast jeder Gast ein Fahrrad. Kerstin und Tommy kommen aus dem Staunen nicht mehr heraus! Plötzlich biegt sogar noch ein Jeep aus den Büschen heraus geradewegs auf sie zu! Im letzten Moment kann Tommy ausweichen. Wer rechnet denn hier mit einem Auto? Beide haben schlichtweg die Straße mit dem Fußweg verwechselt!

An der gigantischen Rezeption muss man den Tagespass für die Insel abstempeln lassen. Über dem Empfangsfoyer hängen sage und schreibe sechs goldene Uhren, die die Weltzeit anzeigen. An der Rezeption auf „Holiday Island“ gibt es nur fünf Weltuhren. Wahrscheinlich für jeden Kontinent eine, denkt sich Tommy.

Nun wissen sie auch die genaue Uhrzeit von Berlin. Das ist sehr beruhigend. Überall ist alles sehr prunkvoll ausgestattet. Da gibt es Stühle in Krebsform, ein kleines Meerbecken mit Maledivenfischen, ein Juweliergeschäft mit Rolex-Uhren, Marmorböden vom Feinsten, edle „Rooms“, Salons und sämtliche Büros der Tourismus-Agenturen. Von so viel Luxus überfordert, gehen Kerstin und Tommy mal baden!
Natürlich nicht am türkisblauen Korallenstrand, sondern im Landschafts-Erlebnis-Süßwasserpool! Der ist mit zwei Wasserfällen und einer kleinen künstlichen Insel ausgestattet. Von dort aus hat man einen atemberaubenden Blick auf

den Indischen Ozean. Man steht ganz entspannt im kühlen Wasser und genießt das luxuriöse Ambiente. Nebenbei rieselt ein kühler Wasserstrahl über den Rücken. Und das alles zum Nulltarif, denn so einen Ausflug nach Sun Island gibt es umsonst!

Dieser schöne Pool liegt nur einen kleinen Steinwurf von der Lagune entfernt. In dieser Anlage ist alles nur vom Feinsten. Nicht einmal die Liegestühle sind aus Plastik, nein, sie sind aus feinstem Edelholz! Außerdem ist eine Poolbar ins Becken integriert. Nach der erholsamen Schwimmrunde starten beide zu einer Inselbesichtigung. Alles ist sehr weitläufig und in die Länge gezogen. Am Ende der Insel dann doch ein Hinweisschild auf Englisch: *„Weiterfahrt für Fahrzeuge verboten!“.* Als jedoch Kerstin von Tommy und dem Schild ein Foto macht, schießt aus dem Hintergrund eine kleine Gruppe von Mountainbikern heran. Zum Glück geht es auch dort für die Radler nicht weiter und sie müssen ebenfalls umdrehen.

Kerstin und Tommy jedoch folgen dem Naturpfad zu Fuß bis zur Inselspitze. Alles feine, unberührte Urlandschaft. Ein kleiner See, ein kleines Restaurant und tatsächlich noch ein kleines Stück Urwald. Beide gehen nur wenige Schritte durch ein Stück unberührte Natur, da tauchen am Horizont in der Lagune 80 Stelzen-Bungalows auf. Sie stehen an der Nordseite der Insel in einem kleinen Bogen knietief im Lagunenwasser. Jedes kleine „Häuschen“ hat einen eigenen Eingang über den Hauptsteg und eine kleine individuelle Holztreppe führt von der Terrasse direkt hinunter in die Lagune zum Baden.

Als Tommy in der Lagune stehend die Bungalow-Reihe fotografiert, kommt plötzlich ein kleiner Hai angeschwommen. Mit den Wellen der Lagune wird er fast vor seine Füße gespült. Auch die anderen im Wasser stehenden Touristen suchen schnell das Weite. Nach dieser

Schrecksekunde macht sich auch der Hai wieder auf den Rückweg ins Meer hinaus.
Am schönen Golfplatz vorbei schlendern Kerstin und Tommy wieder zurück zum Ankunfts-Zentrum. Direkt gegenüber gibt es ein Restaurant am Meer. Sie bestellen auf Englisch: Switzerland-Burger und Monte Cristo Baguette. Dazu Bitter Lemon und Aqua Mineral.

Das alles schmeckt ihnen sehr gut und die Bedienungen sind sehr freundlich. Anschließend setzen sie ihre Erkundungstour fort. Es geht auf der anderen Seite der Insel weiter, durch das Dorf der Einheimischen mit vielerlei Werkstätten. Sie finden noch einen historischen urigen Bungalow aus Bambus aus früheren Zeiten. Es ist im wahrsten Sinne des Wortes ein Museumsstück, sogar mit einer Hinweistafel. Zeit auch für ein Foto als Dokument. Am Ende dieser Tour besuchen sie nochmals die Pool-Landschaft.

Nun breitet sich plötzlich Dieselgeruch aus. Natürlich braucht so eine Insel wie

Sun Island auch Strom und Energie. Doch wenn der Wind von Westen weht, wird es hier am Pool etwas unangenehm. Kerstin und Tommy haben nun Heimweh nach ihrer Insel. Bald kommt das Shuttle-Boot. Am Steg schauen sie zurück auf die Insel mit all ihren guten und schlechten Eigenschaften. Sie sind sich einig, dass sie hier nicht länger verweilen möchten. Nicht etwa, weil die Insel schlechter wäre als die ihrige, sondern weil Sun Island einfach das Flair zu einer romantischen Insel fehlt. Es ist einfach alles zu schön, zu groß und zu weitläufig ausgelegt. Das ist individuelles Jammern auf hohem Niveau!

In der Dämmerung gleitet das Doni-Shuttle-Boot mit Kerstin und Tommy wieder nach Holiday Island zurück. Langsam verschwindet die Traum-Insel Sun Island am Horizont. Der Pizza-Call-Service, die Bikini-Schönheiten in ihren Stöckelschuhen, die lustigen Österreicher, die Mitsubishi-Autos, die Stelzenbungalows im

Wasser, all das lassen sie gedanklich drüben auf „Sun Island“.
Sie sind mit ihren Herzen schon wieder auf Holiday Island angekommen. Dort erwartet sie die angekündigte „Orientalische Nacht“. Da ist schon alles romantisch angerichtet. Das Candle-Light-Dinner kann beginnen: Es gibt Köstlichkeiten aus Fernost und allerlei Schmackhaftes, was die Stimmung aufs höchste Niveau befördert. Die Kerzen brennen und der Duft aus der Küche verbreitet sich über den Strand. Endlich sind Kerstin und Tommy mit ihrem Glück da angekommen, wo sie schon längst hingehören, ins schönste Paradies auf Erden.

Aber auch im schönsten Paradies kommt es vor, dass sich die Tage gleichen. Am nächsten Morgen weckt sie erneut ein starker Regenguss. Leider müssen Kerstin und Tommy wegen der Nässe ihre geplante Inseltour mit der Videokamera noch etwas verschieben.

Ein herrlicher Duft liegt in der Luft, aber von den Palmblättern rieselt noch der

Regen herunter. Auf dem Weg zum Frühstück mahnen sie Hinweisschilder, dass der Boden nass ist und dass man aus diesem Grunde vorsichtig gehen soll.

Die ganze Insel Diffushi dampft. Überall steigt Feuchtigkeit in Form von weißen Schleierwölkchen auf. Zum Frühstück wünscht sich Tommy Maledivenbrot mit Melone, dazu Kaffee und Croissant mit Butter und Orangenmarmelade. Diese Wunschliste kann ohne Einwände am großen Büffet umsonst erfüllt werden. Das Angebot ist reichlich. Da ist für jeden das Passende dabei.

Man hat den Eindruck, dass heute Morgen viele Touristen abgereist sind, denn das Restaurant ist fast leer. Doch schon bald zeigt sich wieder die Sonne und die Video-Tour kann losgehen. Direkt neben ihrem Bungalow fallen plötzlich Kokosnüsse zu Boden. Ein Malediver ist oben in der Palme und schlägt mit einer Machete die reifen Nüsse sowie die vertrockneten Palmblätter ab. Unter der Palme sammelt ein anderer schwarzer

Malediver die auf den Boden gefallenen Nüsse auf und legt sie in einen Korb. Tommy filmt das alles mit seiner Videokamera. Damit ist seine erste realistische Szene des Tages im Kasten.
Mit seinem Messer öffnet ein anderer geschickt eine Kokosnuss und gibt die Kokosmilch Kerstin zu trinken. Was für ein Genuss, direkt von der Palme!

Anschließend führt sie der Weg hinüber zur Tauchbasis. Alles ist dort leer und verlassen. Auch am Hafen wird ihnen nicht viel Interessantes zum Filmen geboten. Fürs Erste reicht es schon, und Kerstin und Tommy machen Pause. Am Nachmittag versuchen sie ihr Glück auf der anderen Inselseite. Da gibt es den Palmengarten, die Beach-Bar, die Lagune im glitzernden Sonnenlicht.

Da kann Tommy beim Filmen einfach nichts verkehrt machen. Somit hat Tommy die wichtigsten Bestandteile einer Malediven-Insel filmtechnisch auf Video festgehalten.

Am Haupt-Steg erscheint in der Ferne das Calypso-Schnellboot und bringt etwa 70 neue Gäste auf die Insel. Fast alle gehören zum italienischen Venta-Club. Sie kommen wahrscheinlich alle aus Italiens Oberschicht, denn sie tragen feine Designer-Klamotten. Ein wahres Theaterstück live, Made in Italy!

Nach dem Empfangscocktail bekommen sie noch eine kleine Mahlzeit gereicht, denn es sind ja All-inklusiv-Gäste. Kerstin und Tommy gehen noch kurz schwimmen, denn bald ist Sonnenuntergang am weißen Korallenstrand. Dann gibt es noch die Analysen von Tommy über ihr Glück und die Zukunft. Liebe geht ebenfalls durch den Magen, also dann noch schnell zum Abendessen.

Am nächsten Morgen ist es etwas bewölkt und windig. In der Nacht hat es heftig geregnet, so dass sich die Luft feucht und frisch anfühlt. Doch die ersten Sonnenstrahlen wärmen die beiden und der Boden ist augenblicklich wieder trocken. Nach dem Frühstück beschließen

Kerstin und Tommy, erneut einen Ausflug zur Nachbarinsel Sun Island zu machen.
Der Wind bläst beim Einsteigen in das Shuttle-Boot so stark, dass Kerstins Sonnenkäppi in der Lagune neben dem Boot im Wasser landet. Bei der Überfahrt schaukelt das Boot ziemlich heftig, dass beide froh sind, wieder festen Boden unter den Füßen zu haben. Schnell stürmen sie ins Restaurant beim Golf-Club und kaufen sich zwei Magnum-Eis.

Dann biegen Kerstin und Tommy links ab und marschieren über die Insel los, durch den Dschungel und an den Plantagen entlang. Da wachsen Mangos, Papaya-Bäume und Bananen. Als sie am Pool ankommen, springen sie noch kurz ins Wasser, denn es zieht ein Sturm auf.

Sie retten sich vor dem drohenden Regen im Glas-Restaurant und bestellen Essen. Wird das heute alles gut ausgehen?, fragen sich die beiden. Der Regenguss ergießt sich über Sun Island und taucht die Promi-Insel in ein dunkles Grau.

Eine Stunde später müssen beide wieder am Steg sein, damit sie nicht ihr Schiff verpassen. Kerstin kauft noch zwei Tücher mit Fischen drauf sowie Postkarten. Inzwischen besichtigt Tommy neben der Rezeption das Gymnasium (Fitnessraum). Der Regen hat inzwischen nachgelassen und die Sonne blickt wieder zwischen den Wolken durch. Der Überfahrt nach Diffushi steht demnach nichts mehr im Wege. Nach der Ankunft auf Holiday Island unternehmen beide noch schnell einen kleinen Spaziergang, dann ist es schon wieder Zeit für das Abendessen.

Heute ist auf der Anzeigetafel „Maledivischer-Abend“ angezeigt. Das ganze Essen ist mit Kokosnuss angereichert, Fischfilets mit scharfem Curryreis und dazu ein köstliches Dessert. Am Abend tanzt noch eine Gruppe von Maledivern im Korallensand für die neuen Gäste. Kerstin und Tommy kennen das schon von ihrem Ankunftstag. Spätabends fallen sie müde ins Bett.

Es gäbe ja noch so viel Individuelles zu erzählen, dass man damit noch unzählige DIN-A4-Blätter füllen könnte. Nun ist es aber an der „Time to say goodbye!". Die Inselleitung teilt ihnen heute Morgen mit, dass für die geplante Rückkehr zum Flughafen nach Malé das Speed-Boot Calypso nicht zur Verfügung stehen wird. Zu ihrem Bedauern müssen Kerstin und Tommy mit dem Wasserflugzeug die Rückreise nach Malé antreten. Die Kosten übernimmt die Transfergesellschaft.

Was für ein Traum für Kerstin und Tommy! Statt Speed-Boot gibt es eine gratis Flugeinlage! Sie stellen ihre zwei Koffer auf den langen Holzsteg und warten gespannt auf das Flugzeug.

Endlich hören sie aus der Ferne das Brummen der Motoren. Das weiße Wasserflugzeug landet nach einer eleganten Kurve vor ihren Augen am Steg. Der Kapitän in kurzen blauen Hosen öffnet die Tür, die gleichzeitig auch eine kleine Treppe zum Einsteigen in das Flugzeug ist. Zuerst packt er die Gepäckstücke und gibt sie seinem Kollegen weiter, der sie im rückwärtigen Teil des Flugzeugs verstaut. Danach dürfen die einzigen Passagiere Kerstin und Tommy einsteigen.

Sie haben selbstverständlich auch zwei himmlische Fensterplätze. Nach kurzem Check der Maschine und nach ein paar Funksprüchen geht's auch gleich los. Es ist das erste Mal, dass Kerstin und Tommy mit einem Wasserflugzeug fliegen. Die Motoren brummen auf und sanft hebt es ab, fliegt in einer Linkskurve über die Nachbarinsel Sun Island und weiter in Richtung Maledivenhauptstadt Malé.

Beide haben während des Fluges einen grandiosen Rundblick, da das Wasserflugzeug nicht allzu hoch fliegt. Insel für Insel taucht wie an einer Perlenkette aufgereiht unten im türkisfarbenen Meer auf, eine schöner als die andere. Da raubt es den zweien fast die Sinne. Was ist das für ein phantastisches Gefühl, so etwas Schönes zu erleben!

Am Flughafen erkennen die zwei sofort die Stelle, wo alle Wasserflugzeuge landen. Zu Dutzenden stehen sie dort unten im Wasser in Reih und Glied. Bei der Landung spritzt kurz das Lagunenwasser an die Scheiben. Das Wasserflugzeug parkt in der Nähe des eigentlichen Abfluges an einem eigenen Landesteg.

Nur ein paar Schritte geht es zu Fuß weiter bis zu ihrem eigentlichen Abflug-Terminal nach Europa. Man ist von diesen Eindrücken dermaßen fasziniert, dass sich kaum ein innerer Abschiedsschmerz bemerkbar machen kann.

Ihr Abenteuer-Urlaub auf den Malediven neigt sich dem Ende zu. Kerstin und Tommy sind nun bereit zum Abflug. Alles Erlebte bleibt ein Traum in ihren Herzen.

Wie in Zeitlupe huschen die Bilder in ihren Gedanken vorüber. Die Farbenpracht der Flora, die Vielfalt der Fische und das üppige Angebot der Speisen, die Ruhe und Gelassenheit der „Insel“ … und vieles Unerwähnte mehr!

Man hat alles so erlebt, als wäre es das Normalste der Welt. Aber wenn der Abschied wieder naht, dann weiß man, dass es ein schöner, unbeschreiblicher Traum ist, aus dem man vielleicht eines Tages bald aufwachen wird.

Spanien – Mallorca

August 2002

Heute, am Samstag, heißt es früh aufstehen, Koffer einladen und ab zur S-Bahn. Um sechs Uhr ist der Abflug. Alles wie gehabt, alles schon Routine bei ihnen. Auf Mallorca, der „Insel der Deutschen“, scheint die Sonne und es ist schwülwarm, um die 32 Grad. Kurz vor Mittag erreicht ihr Bus das Hotel Isla de Cabrera in der Colonia de Sant Jordi. Das Hotel und die Umgebung präsentieren sich so, wie es sich Kerstin und Tommy vorgestellt haben.

Ein schmuckes Dorf, ein verträumter Hafen, ein breiter Strand mit vielen Pinien bewachsen. Sie bestellen in ihrer Eisdiele den ersten Eiskaffee, Toast, Wasser und checken erst mal die Lage. Am Abend gehen sie noch in die andere Richtung des Hafens und entdecken dort nochmal einen schönen breiten Strand.

Am Sonntag können beide endlich mal ausschlafen und genießen nach dem Aufwachen ein ausgiebiges Frühstück. Sie packen dann die Badetaschen voll und marschieren zum nächsten Strand. Der schaut schon mal ganz ordentlich aus! Danach gehen sie noch ein Stück weiter. In der Ferne tauchen entlang der Promenade Häuser auf und erst danach erscheint ein weiterer schöner Strandabschnitt.

Kerstin und Tommy machen kehrt, um es sich an „ihrem" Strand bequem zu machen. Das ist ein ganz hübsches Plätzchen mit Hafenansicht und flach abfallendem Strand und kristallklarem Wasser und kleinen Wellen. Dort verweilen sie bis Mittag, denn nun kommen die Spanier! Der schöne Fleck füllt sich und die Landessprache ist eindeutig.

Im Hotel suchen sie Abkühlung im Pool, stärken sich mit zwei Hamburgern und mehreren Kaffees. Siesta! Es ist nur noch im Schatten auszuhalten.

Erst am späten Abend machen sie noch einen kleinen Abstecher zum Hafen. Und zu allem Urlaubsglück gibt es in ihrem Hotel Isla de Cabrera noch eine Flamenco-Show. Doch Punkt zehn Uhr abends kommt für sie der endgültige K.o! Ein Feuerwerk um Mitternacht reißt beide zu guter Letzt nochmals aus dem Schlaf.

Der Montag beginnt ebenfalls mit schönem Sonnenschein. Es steht ein Spaziergang zum berühmten Strand „Es Trenc" auf dem Programm. Es ist ein Naturstrand und nur zu Fuß erreichbar. Doch man muss schon ziemlich weit gehen, um dort ein ruhiges Plätzchen zu finden. Das Wasser ist angenehm kühl und lädt immer wieder zum Eintauchen ein. Am Mittag ist die Rückkehr wegen der großen Hitze unausweichlich. Im Café „Es Port" bestellen sie Toast mit Schinken und Käse, dazu Cola und Bitter Lemon.

Am Abend gibt es dennoch einen kurzen Regenschauer. Alles dampft, denn die hohe Temperatur bleibt. Ab Dienstag beginnt Kerstins Diät-Früchtetag und das Frühstück ist aus diesem Grund etwas später. Unten am Hafen ist es schon enorm heiß und die Sonne blendet sehr stark. Schnell springen die zwei ins Wasser und lassen sich von den Wellen hin und her schaukeln.

Gegen Mittag wiederholt sich das Ganze dann in ihrem schönen Hotelgarten. Neben dem Schwimmbad gibt es noch einen Whirlpool, den sie ausgiebig nutzen. Das alles macht hungrig. Ein frischer Tomatensalat mit Schinken und ein frisches Sandwich lindert das Hungergefühl fürs Erste. Natürlich darf Kaffee und Kuchen nicht fehlen.

Am nächsten Tag wandern Kerstin und Tommy erneut zum „Es Trenc-Strand". Das Wetter ist jedoch nicht so prächtig wie erwartet. Deshalb drehen sie bald wieder um und gehen zu ihrem Strand am Hafen zurück. Noch ist es etwas bewölkt an diesem Morgen, doch schon am Mittag schießt die Sonne wieder durch die Wolkenlücken und die Temperatur steigt erneut auf 32 Grad an. Die Spanierinnen liegen schon im heißen Sand und schützen sich am Kopf mit Häkelmützen! Manche sind oben ohne, andere wiederum in knappen Bikinis und zupfen immer wieder die kleinen Stofffetzen zurecht. Ihre Badetücher sind nach dem Stand der Sonne ausgerichtet. Andere Schönheiten wiederum lesen Liebesromane und nach jedem Umblättern wird eine neue Marlboro angezündet.

Etwas später tauchen dann ihre braungebrannten Liebhaber in ebenfalls knappen Badehosen auf. Nachdem die Begrüßungs-Zeremonien beendet sind, widmen sich die meisten Pärchen wieder ihren Handys. Das Meer scheint für viele nur Kulisse zu sein, denn ins Wasser wagen sie sich nicht. Vielmehr verstecken sie sich hinter ihrem Sonnenschirm und beschäftigen sich mit dem Eincremen ihrer eh schon braunen Haut.

Danach beginnt für Kerstin und Tommy das übliche Nachmittags-Programm:

Rückweg ins Hotel, schwimmen im Pool, auf dem Zimmer relaxen, Spaziergang am Hafen und so weiter und so fort.

Der Ferienort Colonia de Sant Jordi hat schon einen ganz besonderen Charakter. Das Café Es Port präsentiert sich wie ein Logenplatz im offenen Theater. Da sitzen täglich Kerstin und Tommy und beobachten das Geschehen am Hafen. Das ist eine super Location, die anscheinend nicht nur einzig den beiden gefällt. Da zählt vor allem an erster Stelle der Slogan: sehen und gesehen werden! Feurige Spanierinnen und Spanier treffen sich da, wo natürlich die Marlboro-Schachtel und das Handy Pflicht ist! Spanierinnen in Stöckelschuhen, die manchmal den Verkehr regeln, wenn wieder einmal ein Boot in den Hafen gebracht werden soll.

Mit mächtigen Jeeps bringen die braungebrannten Spanier ihre weißen, schnittigen Boote zu den Stegen am Hafen. Mit ihren Kränen packen sie dann die Prachtexemplare, um sie dann an Ketten vor den Augen aller Gäste im Café Es

Port ins Hafenbecken zu lassen. Schon alleine die Dialoge bei diesen Aktionen wären filmreif. Sie kommen und gehen mit ihren Luxuslinern, als wäre es das Einfachste der Welt!
Es ist wie ein Theaterstück, als wäre es aus der Provinz herausgeschnitten worden, um es dann dort, in Colonia de Sant Jordi wieder am Hafen einzupflanzen. Vor dem Café Es Port spielt dann jeden Tag die spanische Theatergruppe dieses Stück. Kerstin und Tommy sitzen stets auf ihrem Logenplatz und genießen die öffentlichen Aufführungen mit purer Freude, mit Kaffee Créma und Freikarte inklusive.

Erst in zweiter Reihe sitzen dann die spanischen Cliquen mit ihren attraktiven Frauen und Kindern. Als Mahlzeiten bestellen sie jede Menge Fischgerichte und alkoholische Getränke. Die Kinder bekommen nur Cola.

Ab und zu fährt die örtliche Bimmel-Bahn vollbesetzt mit Touristen vorbei und unterbricht für einen Moment diese magische Szene. Wie ein Fremdkörper kurvt die Bahn um die Jeeps und die Boote herum, um dann augenblicklich wieder hinter dem Dorfplatz zu verschwinden.

Kaum ist dann die Bahn weg, fährt ein roter Jeep mit Anhänger vor, um sein Boot aufzuladen. Geduldig parkt er in zweiter Reihe, um dann in den Hafen zu fahren. Gehupt wird in Spanien nicht. Es kommt auch nicht darauf an, ob das Boot jemals über das Wasser fährt, geschweige denn, an einem sonnigen Tag wie heute den Hafen verlässt. Nein, dort im mediterranen Weltmeer ist es viel wichtiger, im heißen Hafen zu stehen oder auf dem Trockendock bewundert zu werden. Die Boote kommen und gehen im 5-Minuten-Takt.

Das alles kann man von klein bis groß bestaunen, von der Jolle bis zur gigantischen weißen Jacht. Das ist alles vom Feinsten! Dort liegen sie an der Leine und werden von allen Besuchern bewundert. Schnell noch ein Gruppenfoto von

der Familie vor dem Boot, mit Yahama Außenbord-Motor und dann ab ins Café Es Port. Natürlich alles festgehalten mit teuren Kameras und Handys in digital! Zum Ratschen bestellt man Café con leche. Die Jungen wollen alles besser machen, die Alten schimpfen über alles, was nicht in Ordnung ist. Nun kommt noch der Mann aus dem Zeitungsladen ins Café und gibt noch seinen persönlichen „Senf" dazu.
Inzwischen holt der Ober vom Café Es Port mit seinem Auto neue Eiswürfel-Pakete im nahegelegenen Supermarkt. Alle Gäste müssen geduldig warten, bis er mit dem Nachschub zurückkommt. Aber irgendwie geht doch alles gut. Zurück im Hotel findet folgendes Gespräch statt:

Kerstin

„*Tommy*", sagt Kerstin.

„*Ja?*"

„*Ich möchte dir etwas sagen:*

Wenn ich sage, dass ich dich liebe, möchte ich damit zum Ausdruck bringen, dass du der einzige Mann bist, bei dem ich dieses so wunderbar geborgene Gefühl empfinde. Wenn du mich in deinen Armen hältst ist zu jedem Zeitpunkt alles wieder gut. Ich spüre dich ganz nah und meine Energie und die Kraft sind untrennbar mit dir verbunden. Und jedes Mal aufs Neue merke ich, wie dies alles von dir kommt.

Eine friedliche Ruhe schenkst du mir, eine Liebe und Geborgenheit, die nichts verlangt, nur einfach immer da ist. Diese Augenblicke bedeuten so viel für mich. Ich genieße sie so und danke dir dafür! Du hast meinem Leben ein so unbeschwertes Glücksgefühl geschenkt, das zuvor nicht da war. Für die Fröhlichkeit und die, du würdest sagen: unwiederbringbaren Minuten, Tage, Jahre ..., danke ich dir vom ganzem Herzen. Ich liebe dich! Dein Schatz!“

Nach einer Woche Mallorca kann man schon mal den Versuch einer Analyse starten. Würde man sich einen Urlaubsort am Meer so vorstellen und sich alles „hineinwünschen“ können und wären

Menschen jeden Alters daran beteiligt, kämen wahrscheinlich dort im Ferienort Colonia de Sant Jordi ähnliche Verhältnisse heraus. Ein Ort in der Mitte und natürlich auch ein Strand links und rechts davon. Natürlich sollte er auch noch lang und schön sein. Aber der Ort müsste auch einen romantischen Hafen haben, direkt an der Promenade!
Da gibt es Restaurants, Geschäfte, Eiscafés, kleine Hotels, Pensionen. Es folgen die berühmten Sonnenschirme aus Palmwedeln (sieht gut aus!), natürlich ein paar Schiffchen, Fahrräder, Autos und ein Parkplatz, damit man nicht weit gehen muss. Dann darf aber auch mal die Colonia-Bahn durch den Ort fahren, ein kleiner Touristen-Zug. Es folgen Appartements, die nicht zu hoch sind und immer wieder begeistert das Grün der Gärten die Blicke. Shopping-Meile ja, aber nicht zu groß.

Ein Hotel direkt am Meer musste natürlich auch her! Man baute es einfach auf einen Felsen. Und schon wäre der ideale

Urlaubsort für jedermann fertig. Na ja, die Natur gehört natürlich auch noch dazu, mit sauberem, türkisblauem Wasser. Das Hinterland mit Pinien bewachsen und auch ein Naturschutzgebiet für die Naturliebhaber. Surf-Schulen und eine Beach-Bar sind auch noch da. Schon ist die Analyse fast fertig!

Ach ja, da sind noch die Urlauber mit ihren Autos. Sie kommen aus Spanien, Frankreich, Deutschland. Man erkennt sie an ihren Kennzeichen auf dem Parkplatz. Schön ist es, wenn man in Colonia de Sant Jordi ist, bei blauem Himmel, ewiger Sonne, inbegriffen Blondinen mit allen Körbchengrößen, rassige Spanierinnen, attraktive Französinnen und so weiter und so fort. Träumen darf man von vielem hier, denn die Gedanken sind frei und niemand kann sie erraten! Wenn das Gewünschte dann zusammenkommt würde man es wahrscheinlich Ferienort Colonia de Sant Jordi nennen!

Heute starten Kerstin und Tommy zu einer Inseltour mit Bus, Schiff und Eisenbahn. Nach etwa einer Stunde Fahrt erreicht der Reisebus das kleine Städtchen Inca. Nach der Shopping-Pause geht die Fahrt weiter zur berühmten Cala de sa Calobra mit dem Torrent de Pareis.

Nun steigt die Gruppe nach einem ausgiebigen Foto-Shooting in das Schiff. An der Nordseite der Insel fährt es am „Zauberberg“ vorbei. So wird der Cavall Bernat, das Wahrzeichen von Cala Sant Vicenc genannt.
Eine grandiose Naturkulisse im Norden Mallorcas und zugleich spektakulär für alle Film- und Foto-Fans. Da bleibt keine Kamera stumm. Kurze Zeit später erreicht das Schiff den Hafen von Port de Sóller. Nach dem umsteigen geht die Tour weiter mit der elektrischen Eisenbahn nach Sóller. Wiederum müssen alle Touristen in den großen Zug nach Palma umsteigen. Chaos pur für alle Reisenden. „Ist das der Zug nach Palma?“, war die häufigste Frage.

Bald erreichen Kerstin und Tommy wohl den Höhepunkt ihrer Reise. Die Fahrt mit der historischen Bahn „Roter Blitz“ nach Palma de Mallorca ist 27 Kilometer lang und führt durch zahlreiche Tunnels und über etliche Brücken. Was für eine atemberaubende Fahrt. Bis zum letzten Bild hat Tommy schon alle Fotos im Kasten und das noch vor der Ankunft im Hotel. Kurz vor Palma, etwa auf der Höhe von Son Sardine, hält der Zug und alle Touristen steigen aus und werden auf ihre Busse verteilt, die sie dann wieder in ihr individuelles Hotel bringen.

Diese Inseltour war schon ihr Geld wert. Man bekommt viel von Mallorca zu sehen und die Eindrücke dieser Fahrt bleiben ewig. Es waren auch Menschen aller Altersklassen dabei und bei jedem Umsteigen war genug Zeit für eine Pause und ein Tässchen Kaffee. Die Fahrt mit der historischen Kleinbahn von Sóller nach Palma oder andersrum von Palma nach Sóller ist immer ein faszinierendes Erlebnis.

An ihrem Abreisetag ziehen schwarze Wolken auf und plötzlich schüttet es wie aus heiterem Himmel. Es hört einfach nicht mehr auf zu regnen. Gerade planen sie, den Check-out zu machen und stellen ihre Koffer schon mal vor die Türe. Das Appartement befindet sich im ersten Stock im Nebenhaus des Hotels auf der anderen Straßenseite, so dass man durch den Garten hindurch zum Hauptgebäude gehen muss.

Kerstin sagt zu Tommy:

„Bring doch schon mal die Koffer rüber an die Rezeption."
Als er jedoch den Koffer ins Erdgeschoss bringen will, steht da schon alles unter Wasser. In großen Bächen läuft das Wasser ins Gebäude. Richtig erschreckt von diesem Ereignis bringt Tommy den Koffer wieder zurück aufs Zimmer.

Schnell rennen Kerstin und Tommy barfuß hinunter auf die Straße. Von da aus sehen sie die drohende Katastrophe auf sie zukommen. In einem breiten Strom fließt das Wasser in die Hotellobby und in die Empfangshalle des Hotels. Geschockt stehen alle Gäste vor dem Hotel und warten auf Hilfe. Endlich kommt die Feuerwehr mit ihren Sirenen angerauscht. Sie versuchen, mit ihren vielen Schläuchen das Wasser abzupumpen. Aber es hilft alles nichts, denn es schüttet immer noch wie aus Kübeln. Der Regen kennt an diesem Tag keine Gnade.

Etwa dreißig Zentimeter tief stehen die Feuerwehrleute im Wasser und werkeln, was sie können. Verzweifelt versuchen auch der Hoteldirektor und einige Hotelgäste, das einströmende Wasser aufzuhalten. Mit einfachen Besen und Schrubbern versuchen sie, das Wasser wieder aus dem Foyer hinauszubekommen. Aber der Kampf gegen die Naturgewalten ist verloren. Im Eingangsbereich schaut es aus wie auf einem Schlachtfeld. Möbel, Stühle, Vorhänge und jede Menge Strandgut reißen die Fluten mit und verlassen das Hotel wieder auf der anderen Straßenseite. Was für ein Drama und alle

Gäste kommen zum Schauen, ohne dass sie wirklich helfen könnten.

Immer wieder fahren noch zusätzlich Autos am Hotel vorbei und verursachen damit immer neue Flutwellen, die sich ins Hotel hinein ergießen. Die Lage bessert sich erst, als die Pumpen der Feuerwehr anspringen und das Wasser über die Schläuche in eine naheliegende Grube gepumpt werden kann.
Viele Schaulustige sind mittlerweile vor dem Hotel versammelt und filmen das ganze Drama mit ihren Handys. Endlich hat dann der Wassergott auch ein Einsehen, so dass der Gewitterregen nach etwa einer Stunde zum Stillstand kommt. Gott sei Dank fährt der Bus erst um drei Uhr nachmittags zum Flughafen. Kerstin und Tommy rechneten schon mit dem Schlimmsten, aber es kam doch alles ganz anders.

Nach dem letzten Regentropfen lässt sich wieder die Sonne blicken. Die Lobby ist bald wieder vom Wasser befreit und der Bus kommt pünktlich zur Abholung und der Rückflug aus „Malle“ klappt reibungslos. Ob dies jedoch für alle Mallorca-Touristen so war, bleibt zweifelhaft.

Frankreich - Nizza und Fürstentum Monaco

Dezember 2002

Für ihren Urlaub in Nizza haben Kerstin und Tommy auf eine Pauschalreise verzichtet, dafür auf eine individuelle Anreise mit dem Zug gesetzt. Die Abfahrtszeit in München ist auf Gleis elf um 23:39 Uhr vorgesehen. Schnell sind beide mit der S-Bahn am Hauptbahnhof, jedoch viel zu früh. Der Zug steht noch gar nicht auf Gleis elf. Tommy kauft ein warmes kleines Baguette. Geduldig warten sie dann am leeren Bahnsteig. Dann wird der Zug rückwärts in den Bahnhof hereingefahren. Sogleich finden Kerstin und Tommy auch ihren Liegewagen im Nachtzug nach Italien. Sie buchten die beiden Betten unten. Kurz vor der Abfahrt steigen noch drei Japaner in das Abteil. Sie haben die Betten oben. Dann geht es schon los. Langsam schlängelt sich der Zug aus dem Bahnhof in Richtung Österreich.

Alle Reisenden im Zug bereiten sich langsam zum Schlafen vor. Der Zug fährt durch die dunkle Nacht, so dass man von der Landschaft kaum etwas mitkriegt. Erst in Kufstein legen sich die zwei endgültig in die Kojen. Der Zug rattert ganz schön laut durch die Nacht und beim Überfahren einer Weiche spürt man im Bett liegend einen leichten Schlag. Es ist für sie die erste Nachtfahrt in einem Zug mit Betten.

Die zwei Japaner und eine Japanerin, die über den beiden ihre Schlafkoje haben, spielen noch Karten. Bei der Ankunft des Zuges in Bozen ist Tommy immer noch wach. Die Fahrt dauert vom Gefühl her sehr lange. Sanft schaukelt der Zug durch die dunkle Nacht. Ihre Liegewagen haben richtige Bettlaken zum Reinschlüpfen. Das beruhigt Kerstin. Nun geht sie mal kurz los zum Zähneputzen!
Beide finden wenig Schlaf im Zug, denn es gibt kaum Licht im Wagen, und somit auch nicht die nötige Erholung. Die Liegen sind etwas muffig und eine sehr

schmale Koje müssen sich beide teilen, wenn sie zusammen mummeln wollen.

Mitten in der Nacht kommt plötzlich die Schaffnerin vorbei und wünscht den Reisenden eine gute Nacht. Außerdem knipst sie noch die Fahrscheine aller Insassen dieses Abteils.

Sie erzählt noch kurz, dass sie heute Nacht zwei Wagen betreuen muss, weil ihr Kollege krank sei. Deswegen käme sie so spät. Sie sammelt dann noch alle Pässe der Reisenden im Schlafwagen ein und verschwindet mit ihnen in der dunklen Nacht im nächsten Wagen. Als Kerstin und Tommy in der Früh doch noch aufwachen, müssen sie sich schnell bereitmachen. Draußen ist es schon hell. Kosmetiksachen suchen, die Kontaktlinsen mitnehmen und dann schnell ab aufs Klo! Schon bald erreicht der Zug Mailand. Dort müssen sie nach Nizza umsteigen. Im Grunde hat Tommy gar nicht schlafen können, denn als der Zug um neun Uhr morgens in Mailand ankommt, ist er noch hundemüde!

Beide geben ihre Koffer am Gepäckschalter auf, weil sie noch die Stadt Mailand besichtigen wollen. Es bleibt noch etwas Zeit, bevor es dann mit dem ICE weiter nach Nizza geht. Das klappt bestimmt gut!

Die Fachgebühr für die zwei Koffer kostet läppische zwölf Euro. Endlich ist man sie los. Vorher hat Kerstin noch schnell alles durchwühlt, was man so für den Ausflug in die Stadt brauchen könnte.

Dann gehen sie aus dem Mailänder Hauptbahnhof hinaus in Richtung Innenstadt. Tommy knipst die ersten Fotos. Es ist noch etwas neblig und kühl. Der Mailänder Bahnhof ist imposant und sehr reich im Renaissancestil geschmückt. Vor dem Bahnhof steht das berühmte Pirelli-Hochhaus.
Massen von Menschen aus aller Welt rollen mit ihren Koffern und allerlei Gepäck aus dem Bahnhof hinaus zu den Taxiständen. Die Damen mit den edlen Pelzmänteln, mit Stadtplänen ausgerüstet,

schlagen den Weg zu den Mailänder Galerien ein. Alles ist in Bewegung an diesem Morgen.

Vor dem Eingang der Shopping-Meile steht ein sehr schöner Weihnachtsbaum. In einem kleinen italienischen Café frühstücken Kerstin und Tommy ausgiebig. Das tut wirklich gut nach so einer anstrengenden nächtlichen Bahnfahrt. An der Decke und an den Wänden des Cafés hängen überall Plakate vom Fußballclub AC Mailand.

Viele Italiener kommen in ihren Pausen dort kurz vorbei, trinken einen Espresso und machen sich wieder auf den Weg zur Arbeit. Es ist ein Kommen und Gehen, ein Sehen und Gesehenwerden. Nach der kleinen Kaffeepause machen sich beide auf die Suche nach dem Mailänder Dom „Santa Maria Nascente".

Wenn man dann auf einmal davor steht, verschlägt es einem fast den Atem. In weißem Marmor erstreckt sich der Dom über eine Länge von 157 Metern. Mit seinen fünf Schiffen ist er majestätisch und überwältigend groß. Auch der Domplatz hat gigantische Ausmaße.

Eine attraktive Besonderheit ist das Dach des Mailänder Doms, lesen beide im Reiseführer. Sie kaufen die Tickets und steigen dann über die 200 Stufen hinauf auf die begehbaren Domterrassen. Das ist alles sehr aufregend und wird belohnt mit einem atemberaubenden Blick über die Dächer der Stadt Mailand. Was für ein Highlight am heutigen Tag! Nur schwer kann man sich von diesem Event wieder trennen.

Vor dem Dom ist eine kleine Eisbahn für Kinder aufgebaut und mit einem Christbaum und vielen Lichterketten verziert.

Beim Schaufensterbummeln durch die Mode-Stadt Mailand gibt es unzählige rote Teppiche, über die jeder gehen kann. Fast jedes Geschäft schmückt seinen Eingang damit. Überall gibt es verführerische Dinge zu kaufen, die jedes Frauenherz höherschlagen lässt!

Beide genießen dann noch ein original italienisches Eis in der Fußgängerzone. Man muss jedoch vorher einen Bon dafür kaufen und kriegt danach das Eis.

Langsam wird die Zeit knapp. Kerstin und Tommy gehen schnell zum Bahnhof zurück, holen das Gepäck ab und suchen das Gleis ihres Zuges nach Nizza. Das klappt alles so, wie es auch woanders geklappt hätte. Eine Frau im Abteil nebenan hat eine Katze dabei und fährt mit ihr im Zug bis San Remo. Diesen berühmten Ort kennt man vom jährlichen Musikfestival, das dort in San Remo stattfindet. Als nächstes stoppt der Zug in einem noch berühmteren Ort, nämlich im Fürstentum Monaco in Monte-Carlo. Man erkennt leider nichts, weil sich der Bahnhof in einem Tunnel befindet. Der Stopp war nur kurz und schon rollt der Zug weiter nach Nizza.

Ankunft ist dann um 20:30 Uhr. Mit dem Taxi fahren beide auf schnellstem Weg ins Hotel, für sagenhafte neunzehn Euro. Kerstin und Tommy sind am Ziel ihrer langen Anreise von München bis Nizza! Sie hat insgesamt genau vierundzwanzig Stunden, also genau einen ganzen Tag gedauert!

Durch eine kleine Promenade bummeln beide nach dem Einchecken noch ein bisschen herum, um an der frischen Luft den Kopf frei zu bekommen. Nun spürt man, dass es der erste Tag in Nizza ist und dass einem dabei die ganze Last von den Schultern fällt. Da gibt es noch viel zu schauen, zu analysieren und zu verdauen. Mit einem dumpfen Schädel fallen dann beide um Mitternacht regelrecht ins kuschlige Bett des Luxushotels.

Am Freitag, den siebenundzwanzigsten Dezember des Jahres 2002, befinden sich Kerstin und Tommy an der weltberühmten Côte d`Azur! Als azurblaue Küste wird ein Teilstück der französischen Mittelmeerküste bezeichnet. Man könnte diesen Abschnitt jedoch auch als französische Riviera bezeichnen. Was will man noch mehr: azurblaues Wasser, endlose

Strände, feines sommerliches Klima, Sonnenschein und so weiter und so fort. Ob Côte d`Azur oder französische Riviera ist völlig egal, man ist da und nur das zählt! Kerstin und Tommy schlendern durch Nizza, wo es den ganzen Tag regnet. Wahrscheinlich hatte der liebe Wettergott heute nicht mit ihrer Ankunft gerechnet. Sie bummeln zuerst am Strand entlang, schauen die großen Hotels an und gehen Kaffeetrinken und genießen dazu französische Eclairs.

Auf einmal stehen sie vor dem Einkaufszentrum Fayette. Das ist eine dreistöckige Einkaufspassage mit vorwiegend Spielsachen. „Tommy“, sagt Kerstin ich möchte dir etwas sagen.

„Ja“, schaut Tommy sie ungläubig an.

Kerstin: „Hier könnten wir doch schon mal ein paar Spielsachen für unsere zukünftigen Kinder Mara, Rosa und Paula kaufen!“

Tommy: „Ja, das wäre schön! Vielleicht haben sie auch eine Eisenbahn für unseren zukünftigen Sohn?“

Aber das sind im Moment nur visuelle Gedankenspiele der beiden. Sie schauen sich nochmals die Fassade von Fayette an und gehen dann doch lieber zuerst etwas Warmes essen. Tommy bestellt eine heiße Kartoffel und Kerstin ein Teller Suppe. Es wird eben doch nicht alles so heiß gegessen, wie es gekocht wird!

Am Abend besuchen sie noch den Jachthafen und bestaunen die schnittigen Schiffe. Alles ist dort in ein dezentes Licht getaucht. Man hat das Gefühl, die Zeit scheint hier stillzustehen.

Am Ende ihrer Entdeckungstour besuchen die beiden noch einen Supermarkt, kaufen Crème-fraîche, Baguette, Käse und Salat und genießen das Ganze in ihrem trockenen Hotelzimmer. Mit einem Gläschen Wein dazu lässt sich der Tag bestens ausklingen.

Die Hafenstadt Nizza ist eben eine einzigartige Stadt, wie mehrere Städte zusammen. Jedes Stadtviertel hat ein anderes Flair und anderes Aussehen. In den schmalen Straßengässchen muss man sich jedoch erst zurechtfinden, denn es gibt dort unzählige Geschäfte aller Art. Viele von ihnen sind bis in den hintersten Winkel geschmückt, dekoriert und bestens ausgestattet. So viele Läden aneinandergereiht sieht man anderswo selten und es gibt alles im Angebot, was das Herz der Nizza-Besucher so begehrt.

Das alles nennen Autoren und Künstler mediterrane Gemütlichkeit. Es gibt natürlich auch viele Blumen, Orangen-Bäume, Stoffe, Eisenwaren, einen Laden für Haushaltsachen, ja, man könnte sich hier perfekt einrichten. Viele Touristen kaufen am Blumenmarkt auch frisches Gemüse und ein warmes Essen. Heute ist eben Markttag und manchmal erscheint ihnen alles auch eine Nummer größer als sonst.

Heute ist Samstag der achtundzwanzigste. Es ist der letzte Samstag in diesem Jahr. Vielleicht im ersten Moment nichts Außergewöhnliches. Trotzdem haben Kerstin und Tommy prompt verschlafen und frühstücken erst um zehn Uhr. Draußen ist herrlicher Sonnenschein, azurblauer Himmel!

„Komm schnell, wir gehen zum Busbahnhof“, sagt Kerstin zu Tommy.

Die sind jedoch berechtigt, denn beide planen einen Ausflug ins Fürstentum Monaco! Das hört sich einfach an, muss jedoch auch richtig geplant sein, denn sie befinden sich ja an der französischen Riviera!

Mit dem Achtundsechziger-Bus fahren beide von Nizza aus nach Monte- Carlo - Monaco.

Unten am Hafen steigen sie aus. Dort ist der Kinder-Märchenwald und es gibt Glühwein. Kurz vor 12:00 Uhr wird bei den Grimaldis auf der Burg die Wachablösung gemacht. Schnell stürmen sie die

Treppe hoch, um dieses spezielle Spektakel aufzunehmen und mitzuerleben. Vor dem Palais Princier de Monaco stehen achtzehn Kanonen und Kanonenkugeln. Dann plötzlich ertönen Trommeln und Trompeten! Jeden Tag um elf Uhr fünfzig vollziehen die „Carabiniers“ in weißer Uniform mit rotem Besatz die traditionelle Wachablösung. Augenblicklich ist dann alles schon wieder vorbei. Fürst Rainier von Monaco haben Tommy und Kerstin leider nicht gesehen.
In der Kathedrale Notre-Dame-Immaculée spenden sie noch zwei Kerzen. Ruhig und gelassen stellen sie die brennenden Lichter zu den anderen. Tommy kauft noch ein paar Souvenirs, eine Ferrari-Mütze, Briefmarken und zwei Ansichtskarten. Dann gehen beide wieder zurück zum Hafen und bummeln an ihm entlang bis hinauf zum Casino.

Dort angekommen gibt es eine große Portion Eis und dazu einen Cappuccino im Café de Paris. Sie kommen mit ihrem „Französisch“ gut klar und sie fühlen sich schon richtig wohl in Monte Carlo. Danach spazieren Kerstin und Tommy hinüber ins Casino, als wären sie Staatsgäste. Sie bewundern die teuren Autos, die davor parken. Die Spielbank von Monte-Carlo gehört zu den bekanntesten der Welt.

Tommy schießt heimlich ein paar Fotos, damit er nicht als Tourist erkannt wird. Da stehen am Eingang ein roter Ferrari, ein weißer Porsche, ein Jaguar und ein Rolls-Royce, alles vom Feinsten und im edlen Glanz. Ein paar Fahrer bewachen diese Schätze der Reichen. Natürlich dürfen beide auch kurz ins Foyer des Casinos, aber weiter nicht. Ihr Dresscode lässt zu wünschen übrig. Und außerdem haben die beiden nicht viel Money übrig, das sie hätten verspielen können.

Jetzt eilen sie noch schnell ins Einkaufszentrum. Durch den extravaganten Palmenpark gehen sie dann zurück zum Hafen. Man muss als Neuling in Monaco ja alles zuerst verkraften, bei einem so prunkvollen Ambiente.

Beim Zurückgehen entdecken sie noch die Spuren der Formel 1 auf den Straßenrändern. Es sind rot-weiße Markierungen in den Kurven. Genau an dieser Stelle rasen Jahr für Jahr die Formel 1-Boliden durch die Gassen von Monte-Carlo. Aber für deren Besichtigung bleibt ihnen kaum Zeit.

Leider finden nun beide die Bushaltestelle nicht mehr, wo sie noch am Vormittag ausgestiegen sind. Sie gehen erneut die Fußgängerzone auf und ab. Beim zweiten Mal endlich finden sie tatsächlich die gesuchte Bushaltestelle, warten aber auf der falschen Straßenseite.
Der Bus rauscht auf der gegenüberliegenden Seite vorbei! Also rennen sie schnell zur nächsten Station. Kerstin fragt einen Polizisten nach der Haltestelle nach Nizza.

Endlich kommt der Achtundsechziger-Bus an der richtigen Stelle und bringt sie zurück nach Nizza. In der hereinbrechenden Dunkelheit fahren sie langsam an einigen Ortschaften mit weihnachtlich geschmücktem Flair vorbei. In einem kleinen Ort an der Côte d`Azur mit dem schönen Namen Beaulieu-sur-Mer ist die Beleuchtung besonders schön.

Tommy sagt zu Kerstin, das wäre sein Lieblingsort, wenn er sich einen an der französischen Riviera aussuchen könnte. Schon bald erreichen beide den Hafen von Nizza und steigen aus. Das letzte Stück gehen sie noch zu Fuß. Beim Italiener in der Nähe ihres Hotels gehen sie noch eine Pizza essen und versuchen den Ausflug ins Fürstentum Monaco gedanklich zu verarbeiten.

Sicher war der Urlaub ursprünglich für Nizza geplant, aber wenn man auf dem Dach des Mailänder Doms spazieren geht, mit dem Bus nach Monte-Carlo ins Reich der Reichen fährt und am Abend wieder im französischen Nizza beim Italiener Pizza bestellt, dann hat man alles richtig gemacht, so Tommys Kurz-Analyse.

Gerne würden Kerstin und Tommy noch zusätzlich mit dem Bus nach St. Tropez fahren, aber es gibt leider keine Verbindung dahin. Das können beide leicht wegstecken, denn es wird wohl eine ganze Weile dauern, bis sie ihren heutigen Ausflug zu den Akten legen können. Und Aufgeschobenes kann man später leicht nachholen, meint Kerstin.

So bleiben sie die letzten Tage in Nizza, träumen noch ein bisschen von Monaco, von Mara, Rosa und Paula, von St. Tropez und den schönen Wilden. Monaco ist für beide ein wunderschöner Tag gewesen, der wie ein kleiner Diamant in einem Ring glitzerte. Sie halten ihn in ihren beiden Herzen ganz fest.
Heute ist Sonntag, die Sonne scheint wie immer, wenn beide am Strand entlang flanieren. Sie saugen die frische Brise des Mittelmeeres an der französischen Riviera in sich hinein und bestaunen die hohen Palmen, die sich entlang des Strandes aneinanderreihen. Anschlie-

ßend gehen sie erneut durch die Fußgängerzone, genießen einen Kaffee und bestellen Omelette dazu. Danach besichtigen sie nochmals den Blumenmarkt und spazieren durch die Altstadtgassen.

Teilweise haben dort die Geschäfte geöffnet, obwohl es Sonntag ist. Am Nachmittag bleiben beide dann im Hotel und ruhen sich aus. Später gehen sie noch auf einen kleinen Abendspaziergang zum Christkindlesmarkt. Da gibt es eine Eisenbahn, einen Weihnachtstannenbaum-Wald und viele, viele kleine Häuschen, wo man etwas kaufen kann. Dann riskieren Kerstin und Tommy noch eine Fahrt mit dem Riesenrad und schießen noch ein schönes Erinnerungsfoto für die Nachwelt.

Abends ist es richtig kühl. Sie gehen aber trotzdem noch durch die Fußgängerzone und besichtigen noch einige Hotels, die eventuell für ihren nächsten Urlaub in Frage kämen. Nun müssen sie leider schon die Koffer packen. Schnell schreiben beide noch ein paar Urlaubskarten an die Daheimgebliebenen und machen alles fertig für die morgige Rückfahrt mit dem Zug. Insgeheim schwören sie sich, dass sie bald wieder zurück nach Nizza kommen werden und natürlich in Begleitung von Mara, Rosa und Paula.

Am nächsten Tag um zehn Uhr starten Kerstin und Tommy die Rückfahrt mit dem Zug nach Mailand. Erst am Dienstag um 6:33 Uhr sind sie mit dem Zug wieder in München. Das ist jedoch eine abenteuerliche Fahrt gewesen! Nach so einer Reise kommt man dann zum Schluss, dass man vielleicht doch das nächste Mal lieber mit dem Flugzeug nach Nizza fliegen sollte.
Bei ihnen zuhause ist es auch schön, da gehen ihre Träume in Erfüllung und die Herzlichkeit empfängt sie Tag für Tag. Dort wartet jederzeit ein Lächeln auf sie und die Sorgen lassen sie stets draußen vor der Tür.

Epilog: Nizza

Wenn sie an ihren Nizza-Urlaub denken, erinnern sich die beiden vor allem an den prachtvollen Mailänder Dom mit der wunderbaren begehbaren Dachterrasse sowie die atemberaubende Stadt Monte-Carlo und natürlich das bezaubernde Nizza.

Sie trauern ein bisschen dem nicht erreichten St. Tropez nach, dem wunderbaren Duft der Côte d` Azur und der wunderschönen französischen Riviera.

Leider sind Kerstin und Tommy bis heute weder mit Mara, Rosa und Paula noch mit dem Flugzeug und ebenso nicht mit der Eisenbahn jemals wieder nach Nizza zurückgekehrt. Ihr schöner Mailänder Dom und der schöne Ort an der Côte d`Azur Beaulieu-sur-Mer warten bis heute auf ihren Besuch. Aber sollte es mal dazu kommen, erzähle ich euch diese Geschichte ein andermal.

Die Träume von Kerstin und Tommy führten sie jedoch in andere faszinierende Welten. Sie fanden ihr Glück an den schönsten Stätten rund um den Globus. Beide fuhren mit Kreuzfahrtschiffen über die Meere, mit Seilbahnen auf atemberaubende Berge, spazierten an naturbelassenen Stränden und eroberten mit ihrer neugierigen Phantasie und Reiselust im Nu ihre Herzen für alle Zeiten.
Tommy schreibt Kerstin:

„Liebster Schatz, ich sitze am Schreibtisch und klebe die schönen Nizza-Fotos ins Album. Mittlerweile haben wir ja schon neun Stück davon! Ich möchte dir noch Dankeschön sagen für die vielen liebevollen Krankenversorgungen, die Du für mich gemacht hast. Bald geht es mir schon besser und so können wir wieder mehr unternehmen. Am ersten April sind wir schon volle fünf Jahre zusammen! Dieses Glück ist in unseren vielen Alben festgehalten. Hättest Du damals, am ersten April, gedacht, dass das alles mal so kommen wird?

Es ist so schön, über alles nachzudenken, wenn man die Zeit hat, so wie ich sie jetzt im Moment habe. Einfach mal entspannen und die vielen Dinge an einem vorbeiziehen lassen. Das kleine Bäumchen hegen und pflegen und zusehen, wie es wächst und wächst. Es ist so schön, zu beobachten, wie uns die Zeit in ihren Armen hält und uns so viel Gutes schenkt. Sie verlangt nichts und gibt uns alles, was sich unsere Herzen wünschen. Ich freue mich schon auf heute Abend und die verbleibende Zeit, die wir in Zukunft noch verbringen werden. Dein Tommy-Schatz!“

Spanien Teneriffa - Playa de las Américas

April 2003

Um 3:00 Uhr morgens klingelt der Wecker. Kerstin und Tommy sind noch müde von der gestrigen Arbeit. Es ist noch ein bisschen kalt und etwas bewölkt. Schnell packen sie alles zusammen. Zum ersten Mal müssen die zwei nicht mit dem Auto zur S-Bahn fahren, denn sie wohnen ja jetzt direkt am Bahnhof.

Kerstin muss am Flughafen noch kurz zur Bank, damit sie im Urlaub wieder „flüssig“ ist.

„Gibt es dort noch eine Hypo Vereinsbank?“

Tommy:

„Seit sechs Jahren fliegen wir hier vom Erdinger Moos los und ich habe noch nie eine gesehen!“

Direkt neben der Rolltreppe von der S-Bahn wird Kerstin fündig und kann ihr

Portemonnaie mit frischem Geld auffüllen. Jemand vom Flughafen hat vergessen, ihr Flugzeug auf das Rollfeld zu ziehen! Alle anderen Maschinen stehen schon da, nur ihre Maschine fehlt. Endlich um 6:00 Uhr wird sie zum Abflug-Terminal geschleppt. Etwa 45 Minuten später hebt die Maschine mit den Urlaubern ab. Durch viele dichte Wolken hindurch geht's in Richtung Teneriffa.

Beide sind noch ein bisschen durch den Wind geschossen nach nur drei Stunden Schlaf! Mit dem Flug zieht es sich noch hin sowie auch mit dem Servieren des Frühstücks.

„Ist das schon Afrika?“, fragt Kerstin Tommy im Schlaf.

„Ich weiß es nicht, ich glaube der Pilot hat sich verflogen!“
Endlich taucht unten im Atlantik die Insel Lanzarote auf, es folgt Fuerteventura und dann erscheint Gran Canaria. Das alles kennen sie schon aus früheren Urlauben.

Endlich taucht in der Ferne der Pico del Teide auf. Mit seinen 3718 Metern ist er der höchste Berg Teneriffas, ja sogar der höchste Berg Spaniens! Im Grunde ist Teneriffa mit dem Pico del Teide nichts anderes als eine gigantische runde Vulkaninsel, eine wie aus dem Bilderbuch!

Teneriffas Flughafen ist unten in Sicht, noch eine kleine Rechtskurve, dann landen die Piloten die Maschine sanft auf der Landebahn.

Schnell finden dann beide auch den Ausgang und der Bus Nummer 22 fährt sie dann ins Hotel Gala am Playa de las Américas.

Kerstins Gedanken:

Auf Teneriffa scheint die Sonne und es ist 24 Grad warm, der Wind streichelt sanft mein Haar und meine Seele. Jetzt kann er beginnen, der Urlaub unserer Herzen.

Wie so oft bei der Ankunft sind Kerstin und Tommy die einzigen Gäste im Bus, die das Hotel Gala gebucht haben. Die Zimmer sind noch nicht fertig, so gibt es als kleines Trostpflaster noch schnell eine Bikini-Show am Pool zu besichtigen. Die dünnen Mädels geben sich alle Mühe und laufen in ihren schicken Zweiteilern auf dem Catwalk auf und ab.

Sie beide sitzen auf ihren Koffern am Pool und schauen dem kleinen Spektakel im Hotelgarten zu. Am Ende tosender Applaus der Hotelgäste. Danach können sie aufs Zimmer, wo sie sich kurz in den Arm nehmen, um den Traumurlaub zu starten.

Wie immer verwöhnt natürlich beide die Sonne, der Wind und das Meer. Ein paar Hotels stehen in dieser Strandstraße kreuz und quer, etwas hoch und tief. An diesem Ort namens Playa de las Américas ist fast nichts nach architektonischem Sinn so geordnet, wie man es sonst von anderen Ferienzielen her kennt.
Überall hängen bunte Reklametafeln an den Häusern. Es gibt Hotelbars, Restaurants, Geschäfte in Hülle und Fülle. Touristen sehen beide noch nicht so viele.

Wahrscheinlich hat es noch mit den Ferien zu tun, meint Kerstin.

Am Sonntagmorgen müssen beide leider schon beim Frühstücken anstehen, wenn sie etwas Warmes zum Essen möchten: Rührei mit Schinken, Omelette, Spiegelei! Viele Gäste stürzen sich auf die leckeren Eierangebote, so dass es unweigerlich zum Stau kommt. Im Gala ist noch alles etwas unübersichtlich, aber das wird sich schon noch regeln, denkt man sich. Nach ihrem kräftigen Morgenessen starten beide frohen Mutes zum ersten Erkundungsspaziergang.

Viele Straßen verlaufen kreuz und quer zum Hotel Gala. Unten entdecken sie den Strand von Playa del Camisón, danach folgt der Strandabschnitt von Playa de Las Vistas. In Los Cristianos sind alle Hotels im Hollywood-Stil gebaut, also mit viel Pomp, so wie es den Architekten gerade gefiel. Ob dieser sehr individuelle Geschmack auch bei den Touristen ankommt, können die beiden nicht beurteilen. Man sieht viel Kitsch an allen Ecken und Enden. An der Promenade am Meer entlang bläst der Wind ganz schön stark und man hat das Gefühl, dass die Wellen immer höher werden. Natürlich gibt es dort auch einen gleichnamigen Strand.

Am Ende einer großen Bucht gibt es nochmals unzählig viele Geschäfte sowie ein Shopping-Center mit großer Einkaufspassage. Daneben ein Super-Mercado und so weiter und so fort. Wer hier etwas braucht, der bekommt alles! Man ist ja auf Teneriffa. Toll!

Jedoch stellt Tommy fest, dass es weit und breit keine Eisdiele gibt. Haben die Planer hier etwa das El Dorado der Eismacher vergessen? Zwischen Santiago 1 und Santiago 2, so heißt hier die Gegend, beginnt der Playa de las Américas. Aber von einer Eisdiele ist auch da nichts zu sehen.

Draußen im Freien Eis essen wird sowieso nichts, denn der Wind bläst nach wie vor so stark, dass beide sich entschließen, doch lieber zurück ins Hotel zu gehen. Die Wellen peitschen an den

Strand, bis zu einer geschätzten Höhe von fünf Metern. Sie verursachen dabei ein heftiges Getöse. Das ist ganz unheimlich!

Im Hotel angekommen, bestellen Kerstin und Tommy am ruhigen Pool zwei Toast mit „jamón y queso“ und genießen dort in Ruhe die Zeit auf der Insel.

Ein sehr windiger Sonntag am zweiten Tag auf Teneriffa neigt sich dem Ende zu und macht sie sichtlich müde. Schnell bestellt Tommy noch zwei Cappuccino, um Kerstin zu einem Lächeln zu bringen. Das funktioniert mit dem Kaffee prima! Nach diesem ausgiebigen Nachmittags-Snack steht natürlich einer kleinen Ruhepause nichts im Wege, damit Kerstin und Tommy wieder fit fürs Abendessen sind.

Am heutigen Montag, den 14. April, schreibt Kerstin die ersten paar Zeilen von den Teneriffa-Erinnerungen, weil sie Tommy zum Friseur geschickt hat. Der hat nun anderes im Kopf als Schreiben, nämlich die sanften Hände einer brünetten Friseuse.

Tommy macht sich auf den Weg nach Playa del Camisón, um dort um Viertel nach Fünf seinen Termin wahrzunehmen. Kerstin denkt, dass es Schlimmeres gibt, als sich eine halbe Stunde lang von einer netten brünetten Friseuse verwöhnen zu lassen, oder?

Gestern hatte Kerstin leckeren Reis zum Abendessen, mit Kastanien und Rosinen sowie Pinienkerne mit eingelegter Paprika und Artischocken. Tommy nimmt stets zum Dessert die größere Portion mit Eis und Karamellcreme, mit der er Kerstin dann auch noch löffelweise verführt. Dagegen ist zur Fastenzeit ja nichts einzuwenden!

Auf ihrem Balkon weht Gott sei Dank vom Meer her ein kühler angenehmer Wind. Nach dem Frühstück schlendern sie in Richtung Playa de los Cristianos hinunter zum Hafen. Tommy hat vorher den Weg auf der Karte geguckt. Die kürzeste Tour geht zuerst am Strand entlang, dann durch den Ort und abbiegen zum Meer.

Kerstin und Tommy laufen an den Restaurants mit Würstchen und an den Bierbuden vorbei. Andere wiederum haben nur Cola und Pommes oder italienische Pizzas. Es gibt unzählige Souvenirgeschäfte und Tabak-Postkarten-Tingeltangel-Shops. Einfach gesagt: am City Center.

Laut Reiseführer sollte dort ein gutes empfehlenswertes Restaurant mit Blick auf das Meer sein. Ob genau dieses bestimmte Lokal jemals ein Tourist findet, unter diesen vielen Bars und Kneipen, die sich hier entlang der Promenade aneinanderreihen, ist eher fraglich! Sie jedenfalls können dieses individuelle beschriebene Restaurant nicht ausmachen. Im Grunde kann man fast von überall her das Meer sehen und so hat sich die Suche bald erledigt.

Tommy knipst noch ein paar Fotos von den Geschäften im großen Italien-Style. Am Hafen blickt man erstaunt auf die vielen Häuser des Platzes. Sie wurden da perfekt vom Hafen getrennt. Anschließend kehren sie dann wieder nach Santiago 1 zurück. Da gibt es einen sehr schönen Strand mit Palmen, unter denen man im Gras sitzen kann. In drei Ebenen fällt er leicht ab bis zum Sandstrand. Das ist ein wunderschöner Ort zum Verweilen und das tun sie auch. Lesen und relaxen und das ruhige Ambiente genießen.

Weiter spazieren nun beide zu der gestern entdeckten Helladeria, sprich Eisdiele, mit Blick auf das Meer. Sie bestellen zweimal Vanilleeis mit Erdbeeren. Die sehr hohen Wellen begeistern aufs Neue sowie die hohen Palmen zu ihrer rechten und linken Seite. Dazu blauer Himmel, leichter Wind und bunte Sonnenschirme.

Das Eis schmeckt exzellent und es gefällt den beiden sehr, dort zu sitzen. Es ist ein großes Vergnügen, diese Stimmung bei Kaffee und Eis in sich hinein zu saugen.

Als sie endlich nach mehreren Aufforderungen bezahlen dürfen, nehmen sie den gleichen Weg wieder zurück ins Hotel.

Ein paar Wellenreiter machen sich am Strand bereit zum Surfen.
Das Geräusch der rollenden Steine am Strand von Teneriffa ist phänomenal. Zu tausenden rollen die schwarzen Lavasteine in dieser Bucht hin und her und hinterlassen grollende Töne. Sie wurden durch das Hin- und Herbewegen im Meer fast kugelrund. Kerstin und Tommy nehmen sich eine Handvoll von diesen magischen Exemplaren mit.

Als Kerstin später die Balkontüre öffnet, sitzt die Balkon-Taube schon da! Jeden Tag ist sie da, wenn beide heimkommen, schaut sie entgeistert an und fliegt dann immer davon. Gegenüber liegt das Restaurant Neptuno und ein Snappy Steak House. Dort unten auf dem Bürgersteig sehen die zwei dann ihre Taube am Boden umher gluckern.

Am heutigen vorletzten Tag ihres Teneriffa-Urlaubs planen Kerstin und Tommy einen Ausflug auf den 3718 Meter hohen Pico del Teide. Ein absolutes Muss für jeden Teneriffa-Fan, so steht es in Kerstins

Reiseführer. Ein Blick in ihren Schuhschrank lässt jedoch diesen Traum wie eine Seifenblase platzen! Sie haben ihre Wanderschuhe nicht dabei!

So kommt es zu einer lockeren Insel-Umrundung mit ihrem Mietwagen und frei von allen Zwängen, die im Reiseführer sonst noch so stehen. Und ganz ehrlich gesagt, können Kerstin und Tommy ohne jede Erfahrung und das noch mitten im April einen 3718 Meter hohen Berg, sprich Vulkan, erklimmen? Das ist dann wohl des Guten etwas zu viel! Da brauchst du neben dem Mut noch die Bergsteigerausrüstung, Schuhe, Jacken und zu guter Letzt den eisernen Willen.

Davon haben die zwei momentan gerade nichts im Gepäck. Dafür die gute Laune für eine Inseltour. Sie folgen lieber den Spuren Alexander von Humboldts und fahren Richtung Puerto de la Cruz. Auf der rechten Fahrerseite ist stets der Pico del Teide in Sicht. Seine Hänge sind noch mit Schnee bedeckt. Nur seine Spitze ist eisfrei und ragt als grauer Zipfel in den blauen Himmel hinein.

Nach anstrengender Fahrt durch die Berge erreichen Kerstin und ihr Fahrer Tommy Puerto de la Cruz. Zeit für einen kleinen historischen Rückblick: Im Jahre 1799 landete dort am Hafen der damals dreißigjährige Alexander von Humboldt. Eigentlich reizte ihn auf Teneriffa nur eines, den höchsten Berg Spaniens, den Pico del Teide zu besteigen. Als er von seinem Schiff aus die eisige Spitze des Vulkans sah, war er von dem mysteriösen Berg dermaßen fasziniert, dass er regelrecht mit seinen Begleitern den Gipfel stürmte.

Kerstin und Tommy sind in diesem Augenblick froh, dass sie heute nicht den Spuren des Naturforschers Alexander von Humboldt folgen müssen, sondern dass sie sich dem Künstler César Manrique widmen können. Der schuf dort am Hafen das bunte Badeparadies Mariánez zwischen den schwarzen Lavaklippen.

Bei Sturm spritzt das Atlantikwasser direkt hinüber in das künstliche Wasserbecken. Diese gigantische Badeanlage ist nicht nur für Sonnenanbeter, sondern auch für alle Besucher einen Besuch wert. Danach entdecken beide noch den berühmten Botanischen Garten (Jardin Botánico) von La Orotava.

Dort gibt es eine Fülle von verschiedenen tropischen Pflanzen, Büschen und Sträuchern zu bestaunen. Manche Blätter der Seerosen sind dermaßen groß, dass man sie anstupsen muss, um sie auf ihre Echtheit zu prüfen.

Vor der Weiterfahrt steht noch der Loro-Park auf Kerstins und Tommys Wunschliste. Direkt am Eingang wird von jedem Besucher ein Erinnerungsfoto gemacht, natürlich mit zwei bunten Papageien im Vordergrund. Ein kleiner Spaß gleich am Anfang, denkt man sich und nimmt das Ganze mit Humor.

Nun folgen Unmengen von Käfigen mit Kanarienvögeln, Aras und Kakadus. Man

weiß bald nicht mehr, was man noch alles fotografieren soll. Tommys Filmvorrat geht langsam zur Neige und die Zeit scheint auch bald aufgebraucht zu sein, denn es steht noch die Rückfahrt an.
Die Hauptstadt Santa Cruz de Teneriffa können sie aus zeitlichen Gründen nicht mehr anfahren. Dafür entdecken sie noch die berühmte Wallfahrtskirche von Candelaria. Sie steht am Ende eines großen Platzes direkt am Ufer des Atlantiks. Der Legende nach wurde dort im Jahre 1826 das Original der ältesten Marienstatue durch eine Sturmflut ins Meer gespült. An ihrer Stelle steht nun eine Kopie.

Überwältigt von all diesen Eindrücken nehmen nun beide Kurs auf den Playa de las Américas, denn dort steht das Hotel Gala von Kerstin und Tommy.

Wieder zuhause angekommen, gibt es noch eine kurze Gutenachtgeschichte von Tommy über ihren gemeinsamen Urlaub auf Teneriffa.

Tommy:

Für die vielen Zeilen danke ich dir recht herzlich. Überall finde ich Notizen, aber Du bist manchmal unauffindbar. Doch in meinen Gedanken bist du ja da! Schnell noch eine Analyse! Wie nenne ich sie bloß? Urlaubsanalyse!

Teneriffa ist in meinem Herzen fest verankert, wie Kerstin und Tommy. Das ist Sonne, der Strand und das Meer, ja, man muss schon fast sagen der raue Atlantik. Ewig scheint auf Teneriffa die Sonne und ihr Licht wärmt unsere Seelen und streichelt unsere Herzen. Auf dieser Insel sind Kerstin und Tommy zuhause, da wo ihre Träume noch wahr werden, die sie sich noch wünschen.

Es sind nur bescheidene Träume, doch genau jene sind die schönsten in unserem Leben.

Wenn auch nur für eine kurze Zeit, ist es immer schön, mit dir, Kerstin, zusammen zu sein. Im Licht der Gegenwart ist es

schön, in unserer Welt, in unserem gemeinsamen Urlaub. Manchmal ist es nur die Welt der Worte. Aber manchmal werden auch diese war.
Kerstin und Tommy fahren wieder aufs Neue los, erneut auf eine Insel. Jahr für Jahr. Urlaub für Urlaub. Das ist es, was sie stetig antreibt, dieses Suchen nach dem Glück der Welt, nach dem Fünkchen Hoffnung, nach der Sehnsucht des Guten. Stets kehren sie wieder heim, mit zwei Koffern voller Erinnerungen.

Am Anfang waren es nur schöne Worte, die uns ins Paradies brachten, heute sind es Flugzeuge. Doch was gestern noch in Worten analysiert wurde, kann morgen schon greifbar wahr werden. Diese Zeilen kann ich tief in mir spüren. Es tut so gut, wenn man Liebe spüren kann. Es soll immer so bleiben.

Tommy für Kerstin.

Spanien - Lanzarote

August 2003

Mit der Planung ihres Urlaubes für dieses Jahr haben sich Kerstin und Tommy sehr schwergetan, denn sie erinnerten sich noch an das letzte Katastrophenjahr 2002. Damals war in Bayern der Sommer total verregnet und es war lange Zeit einfach nur kalt. In ihrem Urlaub auf Mallorca erlebten sie damals via Fernsehen die Jahrhundertflut in Deutschland. Jedoch stand auch am Abreisetag ihr Hotel Isla de Cabrera unter Wasser, denn es hatte geschüttet wie noch nie zuvor an diesem Ort. Das ganze Wasser lief von allen Seiten ins Hotel hinein. Die Rezeption stand binnen Minuten knietief unter Wasser. In ihrem Nebengebäude war es unmöglich, die Koffer ins Freie zu bringen. Beide bangten lange Zeit um ihren Rückflug. Erst als die Feuerwehr kam und das Wasser aus dem Hotelfoyer pumpte, beruhigte sich die Lage ein bisschen.

Es war für fast alle Menschen in Europa die größte Katastrophe seit Menschengedenken, denn es gab fast in jedem Land Überschwemmungen, ja sogar auch auf Mallorca, wie sie es damals selbst erlebten.

Im darauffolgenden Jahr 2003, also heute, ist jedoch alles auf den Kopf gestellt. Das genaue Gegenteil vom letzten Jahr traf ein. Deutschland ist ein Glutofen. In ganz Europa brennen überall die Wälder und es herrscht die größte Dürre seit Menschengedenken, so die verbreiteten Meldungen in den Nachrichten. Es werden überall Temperaturen von über 40 Grad gemessen. Bei ihnen in München hat es nur 26 Grad, aber wohlgemerkt in der Nacht!
Seit Tagen und Wochen, ja seit Monaten ist dem schon so. Bei ihrer Urlaubsplanung in diesem Jahr haben beide schon mal Mallorca als Ziel ausgeschlossen, da ist es viel zu heiß.

Nun ist für sie guter Rat teuer. Wo sollte es hingehen? Wo könnte es etwas kühler sein als in Europa?

Kerstin und Tommy haben in ihrer Arbeit noch alle Hände voll zu tun und können sich nicht noch zusätzlich mit dieser schwierigen Entscheidung befassen. Dann war es doch an der Zeit wegzufahren, auf eine Insel mit Meer und Wind. Aber wohin denn, in einer Zeit des Klimawandels? Wohin könnte man in diesem Sommer noch guten Gewissens Reisen?

Natürlich denken auch sie über diese Wetterkapriolen nach und was man selbst noch dagegen tun könnte! Das ist auch aus ihrer Sicht paradox, auf eine Insel in den Urlaub zu fahren, um sich dort abzukühlen! Aber es ist in der heutigen Zeit einfach nun mal so. Für diese neue Herausforderung braucht es neue Ideen, neue Impulse.

Durch diese Unsicherheiten während der Urlaubsplanung haben sie prompt den richtigen Zeitpunkt für eine Buchung verpasst. So entscheiden sie sich für eine Last-Minute-Reise, eine sogenannte „Fortuna-Reise“ ins Ungewisse. Das ist natürlich auch ein zusätzliches Risiko, das beide gerne in Kauf nehmen.

Sicherheitshalber haben sie schon mal die Insel ausgesucht, auf die die Reise hingehen soll: Lanzarote! Dort kennen sich beide schon von ihrem „Millenniums-Urlaub“ bestens aus, den sie vor drei Jahren erlebten. Vom Klima her ist es dort überall gut auszuhalten. Es weht stets ein kühles Lüftchen und die Tagestemperaturen halten sich in Grenzen.
So landen beide dann an der schönen Playa Blanca im Hotel Lanzarote-Park, mit Terrasse und Meerblick. Dazu gibt es einen kühlen Pool und einem angrenzenden kleinen Strand direkt vor dem Hotel. Auf Lanzarote ist es angenehm kühl für um die gefühlte 30 Grad. Was für ein angenehmes Gefühl. Es ist für sie echt krass, diesen Unterschied der Tempera-

turen zwischen Deutschland und der Kanareninsel Lanzarote so intensiv zu spüren.

Gestern lagen beide noch bei glühender Hitze in München am Feringasee. Nicht einmal das Schwimmen im See, der ebenfalls viel zu warm war, und der schattige Platz unter den Akazien brachte ihnen eine Abkühlung. Am Abend stand die Temperaturanzeige in ihrer Wohnung immer noch bei 30 Grad. Die Türen standen offen, der Ventilator lief auf vollen Touren, doch alles hat nichts genutzt, um die Wohnung nur geringfügig herunterzukühlen. Es blieb die ganze Nacht so. Sowohl im Flugzeug als auch bei der Busfahrt zum Hotel gab es eine Klimaanlage. Das empfanden die beiden schon mal als eine echte Abkühlung.

Am Pool von Playa Blanca ist es unter den Palmen angenehm kühl, das Wasser hat 26 Grad, da lässt es sich gut aushalten. Das Drei-Sterne-Hotel der Last Minute-Reise und dank der Glücksgöttin

Fortuna schlagen die Herzen von Kerstin und Tommy höher. Man befindet sich auf einmal im Glücksmodus. Beim ersten Abendspaziergang braucht man sogar einen Pulli. Sie haben jedoch nur einen dabei, aber der reicht vollkommen. Eine helle Mondscheinnacht mit kühlem Lüftchen lädt noch zu einem romantischen Spaziergang am Strand ein.

Kerstins Gedanken nach einer Woche „Fortuna-Reise“:

Inzwischen sind sechs wunderschöne und erholsame Urlaubstage auf Lanzarote am Playa Blanca vergangen. Am Mittwoch, den 13. August, war es hier sogar 40 Grad im Schatten.
Wir sind an diesem Tag mit dem Glasboden-Boot zu den Papagayo-Stränden gefahren. Diese sind in fast allen Kalendern mit dem Titel „Traumstrände der Welt“ abgebildet. Der Papageien-Strand war glühend heiß und es gab kaum ein schattiges Plätzchen. Dort liegen die berühmten Strände in einer Wüstenlandschaft und es

gibt weder Palmen noch Schatten. Oberhalb der Felsenklippen ging ein warmer Wind und man konnte bei superklarer Sicht fast die ganze Nachbarinsel Fuerteventura bewundern.

Tommy stapfte in seinen weißen Socken durch den heißen mediterranen Wüstensand. Dann gab es aber kein Halten mehr. Kerstin stürzte sich mit Tommy zusammen in die kühlen Fluten am megaschönen Sandstrand der Papageien. Das glasklare Wasser des Atlantiks fühlte sich aber noch sehr kalt an.

Ein sehr schöner Tag am Strand, den wir ausgiebig genossen. Nur die schlanken, vollbusigen Blondinen gingen nicht ins Wasser, sie blieben auf ihren Tüchern liegen. Oben auf der Klippe gab es noch eine kleine Bar. Zur Belohnung für diesen schönen Tag spendierte Tommy-Herz für jeden ein Magnum-Eis.

Auch der kleinste Schattenplatz hinter einer Plakatwand wurde bis zuletzt von den vielen Besuchern zur Abkühlung ausgenutzt, bis um 16:00 Uhr das Schlauchboot uns wieder zum Schiff brachte. Von Bord aus blickte man noch auf die Klippen, den Atlantik und die Papageienstrände, die von mehreren Vulkanen umgeben sind. Das Schiff glitt entlang der verbauten Küste zurück nach Playa Blanca. Ein unvergesslicher Tag mit meinem Glück-Fortuna-Tommy Superschatz.

Natürlich fragen sich Kerstin und Tommy schon die ganze Zeit, was wohl noch von ihrem „Millennium-Event" aus dem Jahre 2000 übrig blieb, das sie hier ja auf Lanzarote vor ein paar Jahren erleben durften? Welche Träume von damals wurden erfüllt, welche nicht?
Gerne würden sie diesen Fragen weiter auf den Grund gehen wollen und zurück zum Playa del Carmen fahren, um sich ein Bild davon zu machen, was noch vom Jahrtausendwechsel übriggeblieben ist. Gerne würden beide auch ihre Inseltour wiederholen wollen, mit all den Eindrücken und den vielen Überraschungen von damals. Ist es nun an der Zeit, sich solche

Gedanken zu machen oder ist es einfach noch zu früh dazu?

Heute jedoch überwiegt in ihrem Ort, dem Playa Blanca, eher das ruhige Ambiente der Insel, das sie sich beide ja reichlich verdient haben. Sie lassen Gedanken von damals ganz unbewusst pausieren und genießen am Pool und überall in der Hotelanlage das angenehme Flair der Insel, mehr nicht!

Lanzarote bietet ihnen momentan alles, was ihre Herzen begehren, denn die neue Zeit hat die Insel in keinster Weise verändert. Das ganzjährig milde Klima, die atemberaubenden Feuerberge und die vielen naturbelassenen Strände bilden nach wie vor das ultimative Fundament von Lanzarote.

Man entdeckt immer wieder etwas von früher. Auf den Wochenmärkten kommt man mit den Einheimischen ins Gespräch. Auch wenn man nicht die gleiche Sprache spricht, versteht man fast alles, was man an Informationen untereinander austauschen möchte. Und wenn dann die Zeit des Abschieds naht, wird einem erst innerlich bewusst, wie schön und erholsam das alles hier war.

Wenn Kerstin und Tommy auf Reisen sind, können sie etwas erzählen. Miss Fortuna meinte es gut mit den beiden. So bleibt der sorglose Urlaub für sie in bester Erinnerung und das Kofferpacken tut nicht so weh, wie man es andersrum schon gewohnt war.

Deutschland - Rügen

Juni 2004

Für ihren Sommerurlaub des Jahres 2004 haben sich Kerstin und Tommy für die Insel Rügen entschieden. Mit „Ameropa-Reisen“ buchen sie stets den Zug mit Hotel und haben mit diesem Reisepaket bisher die besten Erfahrungen gemacht. Diesmal ist der Dünenpark im Ostseebad Binz das Ziel.

Um halb drei Uhr morgens geht’s los. Mit Tommys Auto fahren sie bis ins Stadtzentrum von München und parken beim Park Café. Das klappt alles wunderbar. Zu ihrer Verwunderung sind um diese Zeit in Münchens Innenstadt noch jede Menge Nachtschwärmer unterwegs. Nur im Hauptbahnhof innen ist noch nicht so viel los. Ihr Zug steht jedoch schon bereit.

Zuerst sind beide in den falschen Wagen eingestiegen, haben dann jedoch schnell ihre reservierten Plätze gefunden. Sie haben einen Fensterplatz mit Tischchen.

Leider gab es so früh noch keine Zeitungen, deshalb frühstücken sie nach der Abfahrt im Bistro des Zuges. Da gibt es röstfrische Semmeln, Käse plus Schinken und schwarzen Kaffee. Nächster Halt ist Nürnberg, da müssen sie sowieso in den anderen Zug nach Hamburg-Harburg umsteigen.

Das klappt alles wie am Schnürchen. Im ICE-Zug, der direkt gegenüber bereit steht, haben sie ebenfalls reservierte Plätze für die Fahrt nach Binz. Da sitzen jedoch schon zwei Damen und eine Mutter mit Kind im Abteil. Der Tag ist gerettet, denkt sich Kerstin. Aber aller Skepsis zum Trotz geht es gut voran.

Später, als der Zug durch Mecklenburg-Vorpommern fährt, wird durch den Lokführer eine Weichenstörung bekanntgegeben, so dass ihr Intercityexpress in Bad Kleinen bereits eine Dreiviertelstunde Verspätung hat. Aber das nehmen alle Fahrgäste ganz gelassen auf.
Nach der Abfahrt des ICE-Zuges von Stralsund nach Binz geht es weiter über

die imposante Brücke nach Rügen, vorbei an grünen Wiesen, auf denen sich Windräder drehen. Der erste Stopp auf der Insel ist die Hauptstadt Bergen. Wenig später erreicht der Zug die Endstation auf Rügen, den ICE-Bahnhof von Binz.

Kerstin und Tommy waren ja im Vorfeld so gespannt, wie das dort alles aussehen würde. Aber ihr erster Eindruck ist sehr positiv und gut.

Von überall her zwängen sich die Kurgäste mit ihren Rollis und Koffern durch die einzige kleine Tür am Bahnhof Binz nach draußen. Auch Tommy und Kerstin müssen durch diese Schleuse und gelangen so auf den Bahnhofsvorplatz. Nun suchen sie die Empfangsdame vom Dünenpark Binz, die sie dann zum Hotel bringen wird.

Kerstin entdeckt als Erste den Bus mit der Aufschrift: Dünenpark Binz. Da steht auch schon die Dame vom Hotel. Beide nehmen schon mal Platz, denn das ist ihr Bus! Nach kurzem Warten nimmt noch ein anderes Pärchen Platz. Dann endlich fährt die Fahrerin los, durch ein Wohngebiet und Appartement-Häuser. Alles schaut sehr gepflegt und sauber aus. Nach kurzer Fahrt erreicht der Bus das Reiseziel: den Dünenpark Binz.

Einchecken: Nichtraucherzimmer, zwei Magnetkarten für die Türen in der „Düne 33“. Neben dem Häuschen „Müllplatz 1“ befindet sich ihr Zimmer 244, Pardon ihre Wohnung! Dort gibt es ein Hauptzimmer, ein Schlafzimmer, einen Gang, ein Ankleidezimmer sowie ein Badezimmer.

Tommy fragt Kerstin:

„Glaubst du, dass hier die Urlaubsgäste schon jemals alles benutzt haben?“ Kerstin schüttelt nur ungläubig den Kopf.

Natürlich gibt es noch zusätzlich eine riesige Einbauküche, Geschirr bis zum Abwinken, Kühlschrank, Gästetoilette und so weiter und so fort. Die Wohnung ist riesengroß und wäre wohl für eine fünfköpfige Familie bestens geeignet. Nun

sind jedoch Kerstin und Tommy eingezogen.
Das ist für sie beide alles Luxus pur! Die Wohnung hat beste Ausstattung und dazu noch einen großen Balkon. Nachdem sie das alles ausgiebig begutachtet und analysiert haben, machen sie sich auf den Weg zum Dünenstrand. Bereits bei der Ankunft hat man als Gast bemerkt, dass im Dünenpark alles bestens ausgeschildert ist. Jeder noch so kleine Weg hat einen Namen. Leicht finden beide den weißen Sandstrand, denn kleine Schilder weisen ihnen den Weg. Dort stehen rot-weiße Strandkörbe, die im Lichterglanz der Sonne leuchten.

Kerstin und Tommy spazieren im kühlen Sand bis zum Seebad Binz hinüber. Schon nach wenigen Schritten taucht die 370 Meter lange Seebrücke von Binz auf. Wie ein Juwel ragt sie in die Ostsee hinein und leuchtet in allen Farben im Abendlicht der Sonne.

Kerstin zu Tommy:

„Hast du schon jemals so eine wunderbare Seebrücke gesehen?"

Natürlich muss Tommy passen. So etwas sieht auch er auf Rügen zum ersten Mal. Am Beginn der Brücke steht das imposante mondäne und größte Seebad Rügens. Der Marmor des Kurhauses leuchtet im reinsten Weiß in der Abendsonne. Viele der Sommergäste flanieren auf dem langen Steg und bewundern den faszinierenden Sonnenuntergang.

Tommy fotografiert in aller Ruhe dieses sommerliche Spektakel, denn in seinem Hinterkopf weiß er, dass beide ja noch ein bisschen länger in Binz sind. Nach intensiver Besichtigung machen sich die zwei dann wieder auf den Rückweg, um endlich ihre Sommerklamotten anzuziehen.

Kurz darauf sitzen sie barfuß in einem Strandkorb im Café „Sonnenuntergang" und genießen in vollen Zügen einen Ko-

kos-Cocktail. Aus dem Radio von Mecklenburg-Vorpommern klingt romantische Musik. Die warmen Sonnenstrahlen tun noch ihr Übriges. Bei diesen Voraussetzungen macht das Ausruhen dort am Strand von Binz richtig Spaß und die Tortur der langen Bahn-Anreise ist für die beiden schnell wieder vergessen.
Langsam schlendern sie nach dem Sundowner nochmals zurück zum Kurhaus und genießen das herrlich schöne Wetter. Am langen Steg kaufen sie sich noch zwei Thüringer Rostbratwürste mit Brötchen. Was für ein Genuss, was für ein schöner Abend, denken sie sich und bestaunen noch die Weite der Ostsee und die vielen Lichter am Horizont. Erst spätabends kehren sie dann in ihr schönes Heim zurück und fallen todmüde ins kuschlige breite Bett.

Am Pfingstsonntagmorgen beginnt Kerstins und Tommys erster ganzer Urlaubstag auf Rügen und der schaut ganz gut aus: Frühstücken im Restaurant „Café Petersen“ im ersten Stock, natürlich auf dem Balkon mit Sonnenschein, außerdem gibt es Käse und Fünf-Minuten-Eier, Kaffee und Orangensaft. Die Körnerbrötchen kommen direkt aus der Backstube vom Chef „Petersen“ persönlich!

Endlich landen sie dann wieder auf der Flaniermeile von Binz und genießen das Pfingstkonzert unter freiem Himmel vor dem Kurhotel. Kerstin kauft bei der Rügen-Touristeninfo Zeitschriften, ein Küchenset, eine Radl-Karte und eine Tragetüte aus Stoff von „IGA-See“.

Auf dem Rückweg kommen sie wieder am „Café Petersen“ vorbei, trinken noch eine Latte macciato mit Streuselkuchen und genießen einen Bienenstich dazu. So kann doch der Sonntag richtig gut starten. Nach dem ausgiebigen zweiten Frühstück beginnt für sie erst richtig der Tag.

Am Nachmittag mieten sie am breiten Strand einen Strandkorb und genießen das Strandleben am Ostseestrand, natürlich im FFK-Bereich. Ihr Strandkorb hat die Nummer 69. Man kann entweder im Strandkorb sitzen und sich von der

Sonne wärmen lassen oder auch bequem auf dem Boden auf einem Badetuch liegen und Zeitschriften lesen. Nach zwei Stunden endet die Mietzeit des Strandkorbes. Gegen 17 Uhr machen sich beide auf den Heimweg. Kerstin möchte am Abend gerne Fisch essen gehen. Sie finden das entsprechende Restaurant, bestellen zweimal Räucherfisch mit Salat, Matjes, Brot und Kartoffelsalat. Als Vorspeise gibt es noch Spargelbutter auf geröstetem Toastbrot.
Natürlich ist das alles für Tommys empfindlichen Magen zu viel. Es kündigen sich bei ihm die ersten Anzeichen einer Fischvergiftung an. Wahrscheinlich ist das alles maßlos übertrieben und so machen sie einen längeren Verdauungsspaziergang bis zum Bahnhof der Schmalspurbahn. Dort verpassen sie nur um wenige Minuten den „Rasenden Roland", eine Dampflokeisenbahn, die die Gäste auf der Insel zu ihren Zielen bringt. Danach besuchen sie noch in unmittelbarer Nähe den „Park der Sinne". Dort hängen bunte Glaselemente an den Bäumen. Die

leuchtenden Sonnenstrahlen verzaubern damit die Besucher. Überall glänzt und glitzert es zwischen den Ästen.

Inzwischen hat sich Tommys Magenverstimmung gebessert. Ein Café wäre jetzt gerade das Richtige. Der kleine, verträumte Schmachter See lockt beide ans romantische Ufer. Dort befindet sich auch schon ein Café in bester Lage.

Beide nehmen Platz und eine Dame bringt ihnen sogleich die Karte. Kerstin sagt zu der Bedienung: „Der Herr weiß schon, was er will: zweimal Cappuccino!“. Freundlich, aber sichtlich überrascht von der schnellen Bestellung, bringt sie ihnen sogleich das Gewünschte.

Dort am See genießen beide mit den anderen Gästen gemütlich die romantische Abendstimmung. Auf der Parallelstraße schlendern sie dann wieder heimwärts. Dort müssen sie erst diese wunderschönen Eindrücke des Tages verarbeiten, bevor sie dann fest in den verdienten Schlaf fallen.

Für den heutigen schönen Tag planen Kerstin und Tommy einen Ausflug mit dem Fahrrad. Als Zielvorgabe haben sie die Besichtigung der Kreidefelsen im Visier! Nach dem Frühstück können sie im Radkeller des Hotels das Fahrrad aussuchen. Sie starten dann so gegen zehn Uhr ihre Tour. Mit leichtem Gepäck durchfahren sie den Dünenpark in Richtung Prora. Der Wind bläst schon kräftig und kühl aus Ost.
Nach wenigen Kilometern erreichen die Radfahrer den Ortsteil Prora der Gemeinde Binz. Dort steht der berühmte „Koloss von Prora". Er wurde zwischen 1936 und 1939 gebaut und nie vollendet. Damals sollten dort 20.000 Menschen gleichzeitig Urlaub machen. Man nennt diesen Bau auch „Koloss von Rügen". Der Kern des Komplexes bestand ursprünglich aus acht auf einer Länge von 4,5 Kilometern entlang der Prorer Wiek aneinandergereihten baugleichen Blöcken. Es verblieben bis heute noch fünf Blöcke auf einer Länge von 2,5 Kilometern.

Das alles ist den beiden bereits aus dem Reiseführer bekannt, aber wenn man dann wirklich davorsteht, bleibt einem der Atem weg, so umwerfend ist die Wirkung auf den ersten Blick. Direkt am Beginn der riesigen Anlage erkennt man noch die Trümmer der Bombardierung, als man versuchte, diesen Bau platt zu machen. Inzwischen hat die Natur die Bauruine fest im Griff. Überall zwischen den zerstörten Mauerresten wachsen nun vor allem Pinien und verdecken mit ihrem Grün ein bisschen die Geschichte von Prora.

Es ist noch früh an diesem Morgen, nur wenige sind unterwegs. Bald erreichen die zwei ein Museum, welches im übriggebliebenen langen Prora-Bau untergebracht ist. Aber die Galerie ist leider noch geschlossen. Beide gehen mit ihren Fahrrädern durch eine offene Stelle durch den Prora-Block hindurch auf die Seite zur Ostsee hin. Dem Betrachter kommt das alles sehr gespenstisch leer vor. Überall eingeschlagene Fensterscheiben wohin man blickt und die Fensterreihen im ersten Stock sind total mit Holz vernagelt.

Dieser Plattenbau stellt eine große Illusion aus vergangener Zeit dar. Nun sind sie da und bestaunen diese megagroße Beton-Ruine, die man in der heutigen Zeit weder abreißen noch bewohnen kann.

Kerstin und Tommy fahren mit den Fahrrädern ein Stück weiter bis zum Eisenbahn- und Technik-Museum auf Rügen. Kerstin guckt auf die Karte und meint, es müsste hier ganz in der Nähe sein.
Und tatsächlich erreichen sie es nach wenigen Metern. In einem Straßenbahnwaggon, der noch außerhalb des Museums steht, befindet sich die Kasse. In diesem Vorhof stehen auch noch ein paar Eisenbahnlokomotiven herum. In zwei großen Hallen stehen in Reih und Glied einige Züge und ein paar Autos herum. Man kennt das ja schon von anderen Museen.

Nach gut einer halben Stunde haben beide alles gesehen und ausgiebig fotografiert. Der Pförtner an der Kasse erzählt ihnen dann noch ein paar Geschichten vom Prora-Bau, den er selbst noch von früher her kennt, als er damals zu DDR-Zeiten noch darin untergebracht war. Noch früher versuchte auch die rote Ost-Armee den Koloss zu sprengen. Aber sie schaffte es ebenfalls nicht. Auch die Russen hätten versucht, ihn mit ihren Bomben platt zu machen. Es blieben jedoch nur am Anfang des Baus ein paar Ruinen übrig. Der Rest vom Prora-Projekt steht heute noch in seiner vollen Länge hier mitten im Pinienwald, berichtet er ihnen.

Beide folgen dem Radweg weiter an der riesigen Bauruine entlang. Jedes Mal, wenn man auf den Koloss blickt, hat man das Gefühl, nicht von der Stelle zu kommen, denn er sieht immer gleich aus, wo man sich auch immer befindet.

Gedanklich sind Kerstin und Tommy schon bei den Kreidefelsen, doch die sind ihrer Einschätzung nach noch sehr weit weg. Nach dem DuMont-Inselplan müssten sie jetzt zuerst an den Feuersteinfeldern vorbeikommen. Seit gut zwei Kilometern fahren sie nun schon durch den Wald und von den berühmten Steinfeldern, die sich dort befinden sollen, ist immer noch nichts zu sehen.

Endlich kommt man am Ende des Waldes auf eine Lichtung mit ein paar Radfahrern, die ebenfalls auf der Suche nach den Feuersteinfeldern sind. Und tatsächlich gibt es dort jede Menge Steine am Boden. Da gibt es auch viel Grün und ein paar Bäume dazwischen.

Kerstin: „Ist das jetzt das Feuersteinfeld?"

Tommy: „Ich weiß es nicht, schau dich mal um, ob es hier irgendwo ein Schild gibt!"
Hunderttausende Feuersteine liegen dort am nördlichen Rand der schmalen Heide. Angeblich wurden die Steine durch eine Sturmflut vor etwa 4000 Jahren dort auf-

geschüttet. Aber dieses weiße Feuersteinfeld mitten im Wald ist für Kerstin und Tommy nichts Besonderes.

Kerstin: „Das soll UNESCO-Weltkulturerbe sein?“

Tommy kann daran auch nichts Interessantes erkennen und schüttelt nur ungläubig den Kopf. Schnell schießt er noch ein paar Fotos von den weißen Feuersteinen, die dort im Waldboden herumliegen. Damit war für ihn das Weltkulturerbe gegessen!

Sie drehen enttäuscht um und fahren das ganze Stück wieder zurück. Auf dem Parkplatz vor dem Wald gibt es eine kleine Feldküche, wo es Erbsensuppe mit Bockwurst im Eintopf gibt. Beide teilen sich einen Suppenteller mit Bockwurst. Es ist noch kühl an diesem Morgen und der Wind bläst ganz schön. Nur ein paar Radler sind hier vom Duft der Feldküche angelockt worden und machen eine kleine Pause.

Der Koch von der Küche hat noch viel zu erzählen, zum Beispiel von der Wehrmacht und von der Sowjetarmee. Die Zuhörer wissen jedoch nicht immer so genau, was er da meint. Inzwischen wird ihre Erbsensuppe kalt. Tommy drängt Kerstin zur Weiterfahrt, weil sie ja noch zu den Kreidefelsen wollen.

Steil verläuft der Radweg nach Sassnitz hinauf. Ein paar Pferde weiden linker Hand auf der Wiese und rechts ist die Bucht mit dem Fährhafen von Sassnitz. Die Zeit läuft ihnen scheinbar davon, denn völlig erschöpft erreichen sie nun den Stadtrand, wissen jedoch nicht genau, wo sie sich befinden.

Ehrlich gesagt sind beide trotz Suppe und Bockwurst mit ihren Kräften am Ende und können nicht mehr weiterradeln. Sie drehen um und fahren hinunter zum Hafen. Damit sie wieder zu Kräften kommen, machen beide dort ein kleines Picknick. Kerstin kauft in einem Supermarkt Getränke und ein paar belegte

Brote. Nach der kräftigen Brotzeit suchen sie die Altstadt und stellen fest, dass man sich ja schon mitten drin befindet.
Dann erreichen sie mit letzter Kraft einen gemütlichen Rastplatz im Nationalpark Jasmund und machen erneut eine kleine Pause. Beide sind am Ende mit ihrer Energie, denn die Radtour ist bisher sehr anstrengend gewesen. Unter einem schattigen Baum legen sich Kerstin und Tommy ins Gras und träumen ein bisschen von den weißen Kreidefelsen.

Sie befinden sich auf der Zielgeraden. Es macht sicher jetzt nicht viel Sinn, sich darüber den Kopf zu zerbrechen, warum sie hier gelandet sind. Es steht die Frage im Raum, ob sie am heutigen Tag noch die Kreidefelsen finden werden. Das vorgegebene Ziel war ja, die Kreidefelsen zu besichtigen und sonst nichts anderes! Eigentlich müssten sie sich ja hier gleich um die Ecke befinden, wenn man auf die Karte blickt. Kerstin und Tommy befinden sich buchstäblich auf einer Zeitreise zurück in die Kreidezeit. Bald werden sie die Wahrheit herausfinden, ob und wann sie dort ankommen.

Tommy:

„Ich kann nicht mehr! Meine Beine tun mir weh. Ich fahre keinen Meter weiter, bevor wir nicht die Kreidefelsen gefunden haben!"

Nach dieser kleinen Diskussionspause schließen sie die Fahrräder ab und gehen zu Fuß auf einem kleinen Waldweg in Richtung Ostsee. Schon nach wenigen Metern erreichen sie, oh Wunder, den Strandabschnitt des Nationalparks mit den weißen Kreidefelsen! Was für ein Mysterium, denkt man sich, denn beide waren nur gefühlte zehn Meter Luftlinie von den Kreidefelsen entfernt gewesen und wollten schon umdrehen.

Nun türmen sich die prächtigen Felsen direkt vor ihrer Nase zum azurblauen Himmel empor! Das Wetter ist dazu noch prächtig schön. Wie auf Befehl sind auf

einmal die Müdigkeit und die Strapazen aus ihnen entflogen!
Tommy fotografiert im Augenblick des Glücks die schönsten Bilder aller Zeiten von ihrem Rügen-Urlaub. Die weißen Riesen ragen bis sechzig Meter hoch in den Himmel. Oben am First thronen im Sonnenlicht noch die alten Buchen. Die meisten Bäume stehen schon bedrohlich nahe an der äußersten Kante und drohen beim nächsten Sturm abzustürzen.

Am Boden liegen bereits einige Baumstämme herum, die von oben heruntergefallen sind. Sie ergeben vor den weißen Kreidefelsen ein beeindruckendes Fotomotiv.

Ein kleiner, schmaler Strandweg führt an den Felsen entlang und biegt sich etwas nach links, so dass man das Ende noch nicht sehen kann. Sie gehen besonders vorsichtig bis zu der Stelle, wo besonders viele Bäume auf den Strand heruntergefallen sind. Nun werden sie am Boden von den Wellen der Ostsee umspült. Was für ein tragisches Naturschauspiel und Motiv, denkt sich Tommy.

Man muss nun über die vielen Baumstämme steigen, um weiter zu kommen. Aber es hat einfach keinen Zweck mehr, weiter zu gehen, denn der Boden ist von ihnen buchstäblich übersät. Logischerweise drehen die beiden dann um.

Als Höhepunkt dieses Abenteuers entdecken Kerstin und Tommy noch zu guter Letzt das Wahrzeichen von Rügen, den Königsstuhl! Der deutsche Maler Caspar David Friedrich machte mit seinem berühmten Bild vom Königsstuhl die Kreidefelsen von Rügen weltbekannt. Aber im Zuge der Zeit änderte sich der Verlauf der oberen Kante so massiv, dass diese Postkartenansicht von damals heute nicht mehr ganz den Umständen entspricht. Immer mehr von den Kreidefelsen bricht ab und stürzt zusammen mit den Buchen ins Meer. Immer wieder ändert sich demnach die Außenfront der Felsklippe.

Man ist von diesen phantastischen Eindrücken von unten her betrachtet komplett erschlagen. Bei so viel Faszination muss jedoch auch bald über die Heimfahrt nachgedacht werden, denn es ist schon ziemlich spät am Nachmittag.
Als Tommy dann den schönsten Kreidefelsen aller Zeiten auf Film gebannt hatte, drehen sie beide etwas widerwillig um und suchen sich noch ein Café in Sassnitz, um sich noch mit einem Cappuccino und einem leckeren Kuchen zu stärken.

So, nun ist die Rückfahrt nach Binz leicht zu schaffen, denn es geht nun fast immer den Berg hinunter und der Wind bläst sie buchstäblich nach Binz.

Mit viel Wehmut erreichen sie etwas erschöpft wieder den Dünenpark mit ihren schönen Erinnerungen im Gepäck. Es gibt am Abend noch so viel Verschiedenes zu analysieren, vom Koloss von Prora, von den weißen Feuersteinfeldern und von den Kreidefelsen und den heruntergefallenen Buchen im Ostseewasser.

So viel Neues zu verkraften braucht Zeit. Gott sei Dank dauert es noch ein paar Tage, bis Tommys Bilder entwickelt werden. So können beide nun den verdienten Abend gemeinsam genießen. Unten am Strand blicken sie dann noch zu den Kreidefelsen hinüber. Ausflugsschiffe kreuzen in der Ostsee und beschließen mit ihren Lichtern den Abend von Kerstin und Tommy.

Am nächsten Tag planen sie eine Fahrt mit dem „Rasenden Roland“. Mit dem dampfenden Zug möchten sie von Binz nach Putbus fahren. Am Bahnhof Binz für die Schmalspurbahn stehen die Leute schon vor dem Fahrscheinschalter Schlange und warten bis er öffnet. Auf dem Bahnsteig der zwei Gleise herrscht Chaos.

Dann pfeift plötzlich der Zug ganz laut. Die Schranken für die Autos schließen sich und man hört ihn schon kommen.

Alle Menschen ordnen sich an der Haltestelle. Bei der Einfahrt herrscht ein richtiges Gedränge um das schönste Bild. Jeder möchte den einfahrenden Zug fotografieren. Als er endlich zum Stillstand kommt, wollen sich die ersten schon in die Wagen stürzen, bevor die Reisenden in den Wagen ausgestiegen sind.
Andere Touristen wiederum können nicht genug Bilder von der Lokomotive und vom Zug bekommen. Dann pfeift der Schaffner einmal ganz lang und die Dampflok setzt sich sanft in Bewegung. Der Rasende Roland schaukelt regelrecht durch die Ebene von Rügen nach Putbus.

An manchen Stellen stehen Menschen am Straßenrand und geben dem Lokführer das Zeichen zum Einsteigen. Die Räder dampfen, der Zug kommt zum Stehen und die neuen Fahrgäste steigen ein. Dann fährt der Zug noch durch ein kleines Waldstück und der Bahnhof von Putbus kommt näher. Draußen zwischen den beiden Eisenbahnwagen kann man auch ganz gut stehen und die ganze

Fahrt leibhaftig erleben. Man erkennt, wie die Gleise unter den Füßen hindurchschweben und wie die beiden Wagenkupplungen bei jeder Unebenheit auf und ab wippen. Nun fährt der Rasende Roland mit gedrosseltem Tempo in den Bahnhof ein. Man erkennt auch deutlich mehr Gleise, mehrere Lokschuppen und jede Menge Personenwagen auf den Gleisen stehen.

Man befindet sich im Heimatbahnhof dieser alten Schmalspur-Dampfzüge. Auf den vielen Gleisen stehen für die Eisenbahnfans die alten Züge in Reih und Glied. Waggons und Dampfloks stehen im Rampenlicht der Fotografen. Der Bahnhof ist wie ein lebendiges Open-Air-Museum für Eisenbahnfans. Tommy kommt mit dem Fotografieren der Objekte der Begierde kaum noch nach. Man füllt wieder Wasser in den Kessel der Dampflok. Das sind wunderschöne Motive für alle, die den Fotoapparat dabei haben.

Die Stadt Putbus präsentiert sich mit ihren Prachtbauten im Stil des Klassizismus. Kerstin und Tommy besichtigen die schönen Parks sowie den Mittelpunkt der Stadt, den Circus und den rechteckigen Markt. Nach dem Stadtbummel fahren sie mit dem Rasenden Roland zur anderen Endhaltestelle bis nach Göhren. Der ganzjährig verkehrende Zug gehört zum festen Bestandteil des rügenschen Nahverkehrs. Er ist nicht nur bei den Einheimischen, sondern auch bei den Touristen ein beliebtes Verkehrsmittel. Rügen offenbart so viele Gesichter wie keine andere Insel in Deutschland.
In Sellin steigen sie aus, um dort die berühmte Seebrücke zu besichtigen. Vom Bahnhof aus ist es doch ein ganz schön langes Stück zu gehen. Im Ortskern von Sellin erreichen sie die Wilhelmstraße mit ihren schönen Bäderarchitektur-Villen. Die Flanierstraße führt direkt zum Steilufer, wo sie abrupt endet. Von dieser Stelle aus haben die Touristen einen grandiosen Blick auf die 394 Meter lange Seebrücke. Am Beginn der Brücke steht

der imposante Kaiserpavillon, der an die 1920er-Jahre erinnert.

Beide sind fasziniert und begeistert von diesem prachtvollen Bau und dem Ausblick von dort oben auf die Ostsee. Tommys Kamera klickt schon fast im Sekundentakt. Selbst am Strand bietet die Seebrücke von Sellin noch allerhand attraktive Motive. Die vielen bunten Strandkörbe und die vielen Menschen am Strand, die kreischenden Möwen und die unzähligen Hunde.

Kerstin und Tommy finden noch ein freies Tischchen vor dem Eingang zum Kaiserpavillon, natürlich bei Kaiserwetter! Sie genießen bei herrlichem Sonnenschein Kaffee und Kuchen. Mit neuem Elan und jeder Menge Neugier im Gepäck flanieren beide noch bis zur Spitze der Seebrücke hinaus, wo die Schiffe anlegen.

Anschließend fahren sie mit dem Rasenden Roland weiter nach Göhren. Dort ist Endstation für alle Fahrgäste. Vom alten Bahnhof aus sind es nur ein paar Schritte bis zum Strand. Auch dort fast das gleiche Bild wie in Sellin. Überall Menschen, buntes Treiben und Ostsee-Feeling. Die Seebrücke von Göhren ist etwa 280 Meter lang. Von hier aus fahren die Ausflugsschiffe zu den Kreidefelsen hinüber sowie zum Seebrückenshopping nach Sellin und natürlich auch nach Binz. Das alles hier in Göhren ist Romantik pur!

Sie kommen bei so viel Kultur, Natur und Geschichte aus dem Staunen nicht mehr heraus. Vor der Rückfahrt leisten sich die beiden im Biergarten nahe dem Bahnhof noch ein kräftiges Essen und stärken sich erneut mit Kaffee und Kuchen. Mit der Rückfahrt des dampfenden Zuges nach Binz endet für beide dieser aussagekräftige Urlaubstag.
Am vorletzten Tag auf Rügen steht noch ein Wandertag auf Kerstins Wunschliste. Das Ziel ist das Jagdschloss Granitz. Die mittelalterliche Burg soll nur etwa 1,5 Kilometer von Binz entfernt sein. Kerstin und Tommy gehen ganz entspannt vom

Dünenpark Binz los und folgen den Hinweisschildern, wo der Wanderweg zum Jagdschloss zum Tafelberg hinaufführt. Nach knapp einer Stunde Marsch kommen sie an.

Im Innern des hohen Aussichtsturms schraubt sich eine gusseiserne Wendeltreppe mit 154 Stufen nach oben. So steht es auf einer kleinen Tafel am Eingang. Der mühevolle und teils riskante Aufstieg lohnt sich. Man kann sogar bis Stralsund und bis Hiddensee blicken. Binz liegt direkt unter ihnen. Am Horizont erkennt man natürlich auch ganz deutlich die Kreidefelsen vom Nationalpark Jasmund.

Das ist für die zwei der krönende Abschluss von ihres Urlaubs auf der Insel Rügen. Rückkehr mit Sicherheit nicht ausgeschlossen! Mit diesem herrlichen Weitblick über die Insel, natürlich alles auf Film gebannt, kehren die zwei Verliebten wieder zurück in den Dünenpark.

Kerstin und Tommy fahren am darauffolgenden Tag mit dem modernen ICE wieder nach Hause.

Spanien - Formentera

August 2004

Am Sonntag, den 8. August starten Kerstin-Schatz und Tommy-Herz zu ihrer insgesamt neunundzwanzigsten Reise! Es ist noch kühl an diesem schönen Morgen. „Jan-Reisen“ schenkt ihnen heute morgen eine Stunde mehr Schlaf. Statt um fünf Uhr früh fliegen sie erst eine Stunde später, also um sechs Uhr!

Wie gewohnt läuft an diesem Anreisetag alles wie am Schnürchen. Mit dem Auto fahren beide nach Ismaning, dann mit der Flughafenschnellbahn zum Terminal 1. Alle LTU-Reisenden müssen dort einchecken. Lange Warteschlange am Schalter sind die Folge.

Die Maschine fliegt pünktlich los und dreht dann ab in Richtung Süden! Als alle Fluggäste ganz entspannt über den Alpen das Frühstück serviert bekommen, gerät der Airbus plötzlich in Turbulenzen. Tommys Frühstücksbrötchen fliegen durch die Luft. Das meiste konnte er noch rechtzeitig festhalten. Seine Brötchen mit den Butterwürfelchen landen jedoch auf dem Fußboden. Auch bei den anderen Passagieren schaut es nicht besser aus. Die Fluggäste und die Besatzung sind sichtlich von dieser unerwarteten Situation geschockt! Nachdem alle wieder ihre Tabletts aufgeräumt haben und nun mit dem Schlimmsten rechneten, kommt eine Durchsage.

Ausgerechnet in diesem Moment meldet sich der Pilot zu ersten Mal seit dem Abflug zu Wort und erzählt alles Mögliche zum Flug und dem Wetter und dass der Airbus weiter steigen würde, um den Turbulenzen auszuweichen. Kein Wort zu dem tragischen Zwischenfall und dem daraus resultierenden Chaos in der Passagier-Kabine. Alles beruhigt sich jedoch im Lauf der Zeit wieder und pünktlich um halb neun landet die Maschine sanft auf Ibiza.

Etwa zwei Stunden warten nun jene Fluggäste am Flughafen, die weiter nach Formentera wollen.

Es dauert eine Ewigkeit, bis endlich der Bus zum Hafen „La Sabina“ losfährt. Die Temperaturanzeige ist schon bei dreiunddreißig Grad angekommen. Es ist zudem schwülwarm und windig. Am Kai von Eivissa steht schon die Fähre zur Überfahrt nach Formentera bereit. Sie soll so gegen elf Uhr auslaufen. Alle Urlauber checken nun ein. Vorne am Bug hat man einen schönen Blick auf die prächtig weißen Jachten, Schiffe und auf die Stadt.

Die meisten Urlauber drängen sich dort auf engstem Raum, um die Abfahrt nicht zu verpassen. Endlich hören sie, wie die Motoren zur Abfahrt aufheulen. Doch leider müssen Passagiere bei der Ausfahrt aus Sicherheitsgründen ins Innere des Schiffes. Gedränge in den Gängen und Beschimpfungen sind die Folge. Auch alle

Koffer der Reisenden sind aus dem gleichen Grund oben im ersten Stock gestapelt.

Kaum ist die Fähre aus dem Hafen herausgefahren, nimmt sie mächtig Fahrt auf und beginnt dann auch heftig zu schaukeln. Für viele Passagiere ist diese Speed-Fahrt nicht gerade zumutbar. Einige müssen sich übergeben. Andere Gesichter sind kreideweiß, Kinder weinen. Nach nur dreißig Minuten schnittiger Fahrt erreicht das Speed-Boot den Port von Formentera. Jetzt entsteht erneut ein Chaos beim Aussteigen, denn alle Passagiere drängen nun mit ihrem Gepäck vom oberen Deck über eine schmale Treppe hinunter.

Alle möchten nun schnellstmöglich das Speed-Boot wieder verlassen. Darunter befinden sich auch Tommy und Kerstin. Es kommt zum bekannten Chaos, wenn viele Menschen gleichzeitig dasselbe tun wollen. Überall zerstreut im Hafen warten noch die Busse, die für die Gäste zur Weiterfahrt in ihre Hotels bereitstehen.

Ach ja, noch eine kleine Anmerkung nebenbei: Kerstin telefoniert noch kurz aus einer gläsernen Telefonzelle am Hafen mit ihrer Ma in Deutschland! Nur langsam fährt der klimatisierte Omnibus bei glühender Hitze aus dem Hafengelände hinaus zu ihrem Hotel. Viele Tagesausflügler, die von Ibiza aus mit ihren Mofas mit der Fähre angekommen sind, verstopfen nun zusätzlich die Ausfahrt. Aus dem Busfenster beobachten beide, dass überall bei den Händlern für Mofas und Fahrräder hunderte, ja tausende von ihnen zum Mieten bereitstehen.

Nach und nach steigen immer mehr Touristen aus dem Bus und stürmen zu ihren Ferien-Domizilen. Fast wie immer bei jeder Reise sind Kerstin und Tommy die letzten im Bus, als er plötzlich ganz unerwartet vor dem Hotel Ca Marie zum Stehen kommt. An der Rezeption ist niemand, der sie empfängt. Also ist Warten angesagt. Zeit für eine kleine Hotelanalyse: große Gartenanlage, Bar, Pool, alles in Ordnung!

Schon werden beide auch freundlich empfangen und folgen der Empfangsdame durch den weiten Gartenbereich zu ihrem Appartement, im Agua-Clara-Haus. Erster Stock, Zimmer mit Blick auf das Meer, Hitze, Strand, Wind, Ruhe.

O.K., das muss man erst alles verkraften! Sie ordnen ihre Sachen in die Schränke und lassen den Gedanken darüber freien Lauf. Nun fallen beide auf die Betten und machen keinen Mucks mehr. Es ist die Stunde der Ruhe und Entspannung. Sämtliche angehäuften Unruhen verlassen den Körper himmelwärts. Die Zeit steht still. Durch das offene Fenster hört man nur das Rauschen der Wellen

Kerstin und Tommy sind gedanklich angekommen auf der Ferieninsel Formentera, der kleinsten der vier Baleareninseln. Ihr Hotel hat den Namen Ca Marie. Ihre Seelen sind schon voller Hoffnungen und saugen die Ruhe und die Kraft von der Landschaft wie ein feuchte Schwämme in sich auf.

Am Montag beschließen sie schon früh aufzustehen, denn pünktlich um neun Uhr dreißig kommt die Dame von Jahn-Reisen ins Hotel Ca Marie. Es wird Orangensaft serviert und von ihr eine Schnellinfo über die Insel erklärt. Natürlich wissen Kerstin und Tommy insgeheim schon fast alles, was sie ihnen über Formentera sagt.

Ohne die neuen Tipps von Jahn-Reisen zum jetzigen Zeitpunkt in Anspruch zu nehmen, spazieren beide nach dem Termin in Richtung Süden zum kilometerlangen Strand von Migjorn. Sie haben im Hotel Ca Marie von den deutschen Gästen gehört, dass eine Frau vermisst wird, die wahrscheinlich gestern von den Fluten weggerissen wurde.

Polizei und Einsatzkräfte suchen sie mit einem Boot. Danach hörten beide von diesem mysteriösen Fall nichts mehr. Auch die Gäste im Hotel wussten dazu ebenfalls nichts Neues mehr.

Kerstin und Tommy suchen sich am Strand ein freies Plätzchen und legen sich in den Sand, suchen die Ruhe und genießen den ersten schönen Tag auf der Insel. Meterhohe Wellen rollen lautstark ans Ufer, wo die gelben Fahnen wehen. Das bedeutet Badeverbot! Der Wind bläßt an diesem Morgen sehr stark. Mittags kehren die beiden durch die Dünenlandschaft zurück ins Hotel. Überall in Spanien, wie auch auf Formentera, ist nun Siesta-Zeit. Im Klartext heißt das konkret: im Pool schwimmen, Kaffee und Cola genießen, lesen und relaxen. Kerstin kauft noch ein paar Ansichtskarten und eine neue Mütze für Tommy.

Zum Abendessen gibt es heute Tommys Lieblingsessen: Schnitzel mit Pommes! Als Dessert wird Pfirsich mit Vanilleeis serviert. Später gehen beide bummeln, um noch „Bookcrossing" zu machen. Tommy hinterlegt ein von ihm gelesenes Buch in einer Telefonzelle. Dort sucht es dann einen neuen Leser. Bookcrossing wurde, soweit bekannt, von dem Amerikaner Ron Hornbaker erfunden, der erstmals am 21. April 2001 auf die Idee kam,

gelesene Bücher „in die Freiheit zu entlassen“ und so einen „freien Buchclub“ zu gründen.
Seitdem nehmen Kerstin und Tommy immer ein paar gelesene Bücher oder auch CDs mit in den Urlaub und hinterlassen sie dort neuen Lesern oder Hörern. Meistens finden sie einen Platz in der Hotelbibliothek oder eben auch in Telefonzellen. Später schauen beide nochmals nach, ob diese Objekte der Begierde noch da sind oder ob jemand das Buch schon in Obhut genommen hat. Was für ein Heidenspaß, wenn das Buch dann plötzlich verschwunden ist!

Von ihrem Balkon aus bewundern Kerstin und Tommy die sternenklare Nacht. Es ist angenehm kühl und man entdeckt immer wieder etwas Neues am Nachthimmel.

Tommy:

„Schau, da leuchtet er, deutlich für alle sichtbar, der Polarstern. Er weist den Menschen den Weg durchs Leben, denn von fast überall auf der Welt kann man ihn sehen!“

Kerstin:

„Ja, der sieht schön aus. Früher hast du mir schon mal den großen Wagen gezeigt, weißt du es noch?“

Jetzt wissen beide, dass alles gut wird an jenem Montag mit Kerstin und Tommy, denn auf Formentera öffnet man ihnen die Tür zu einer neuen, noch fantastischeren Welt, als beide sie schon zu kennen glaubten.

Nur mühsam findet Tommy den verdienten Schlaf. In seinen Träumen huschen die Formentera-Impressionen vorüber: die drei Damen beim Abendessen, die zwei T-Shirts für zwei Wochen, die Tommy im Gepäck hat, die Blondinen am Pool, die Dame mit den blauen Haaren, Bookcrossing im Telefonhäuschen, zwei Cappuccinos am Pool, die Sechzig-Sekunden-Telefongespräche mit Deutschland, die Damen mit den Hotpants beim Essen

sowie das Negligé von Ingrid, die mit den roten Haaren!
Ist das alles nur ein Traum? Vision oder Wirklichkeit lassen sich nicht mehr auseinanderhalten. Tommy fällt in den Tiefschlaf!

Am Mittwoch nach dem „desayuno“ (spanisch für Frühstück) mieten Kerstin und Tommy im Hotel zwei Fahrräder für genau fünf Tage für rund sechzig Euro, packen dann schnell ihre vollen Badetaschen ein und fahren los. An diesem Morgen werden auf dem Thermometer schon über dreißig Grad angezeigt. Es bläßt kaum ein Lüftchen. Bis nach Sant Ferran sind es nur ein paar Minuten. Dort machen beide eine kleine Pause in der kühlen Dorfkirche. Tommy schießt mit seiner neuen Digitalkamera ein paar Fotos.

Bei ihrer Weiterfahrt biegen sie scheinbar falsch ab. Alles erscheint ihnen in dieser Gegend kahl und öde. Im Reiseführer steht, dass hier früher die Kornkammer von Europa gewesen sein soll.

Angesichts dieser Hitze und mageren Landschaft mag man das kaum glauben. Wahrscheinlich muss man das Wort „früher" viel ernster nehmen! Überall liegen meterhoch die Steine in den Feldern herum und beide sehen bis jetzt kein einziges Korn. Es geht nun etwas den Berg hinab in Richtung Pujols.

Im Reiseführer steht: *Nehmen Sie sich ein Fahrrad und entdecken sie die ruhigen Plätzchen der Insel.*

Ihnen bietet der Anblick der Gegend ein ganz anderes Bild, als es der DuMont ihnen schildert. Mofas über Mofas zu hunderten, ja zu tausenden rollen an ihnen vorbei in Richtung Pujols. Von Radfahrern und Radfahrerinnen ist hier nichts zu sehen. Überall auf den Straßen, die zu den romantischen Stränden führen, das gleiche Bild: Roller und Mofas, Busse und Laster verstopfen die Zufahrt zum Strand. Beide müssen sich nach Pujols mit ihren Fahrrädern regelrecht durch die vielen Mofas durchschlängeln.

Wenn das mal kein schlechtes Omen ist, denkt man sich. Endlich erreichen sie den herrlichen weißen Strand von Pujols! Der präsentiert sich mit türkisblauem Wasser, weißen Jachten, Menschenmassen und vielen Mofas. Endlich spürt man auch einen Hauch von karibischem Flair. Trotz alldem vergisst man schnell bei diesem herrlichen Anblick alle Strapazen und Schönheitsfehler.

Sie flanieren an dem Promenaden-Strand entlang und suchen sich ein freies Plätzchen. Je weiter sie gehen, desto schöner spiegelt sich die Morgensonne im kristallklaren Wasser des Mittelmeeres. Sanddünen, Pinienhaine und jede Menge bunte Boote am Strand runden das schöne Bild ab. Nebenbei schießt Tommy ein Foto nach dem andern, als würde er diesen Platz bald wieder verlassen müssen!

Es ist einfach eine große Show hier am Strand. Man weiß nie, was noch kommt und ob man schon etwas verpasst hat. Viel Zeit zum Gucken und zum Baden bleibt Tommy und Kerstin aber trotzdem nicht, denn sie wollen noch mit ihren Fahrrädern einen Ausflug zum Hafen machen.

Immer heißer sticht nun die Sonne auf den herrlichen Strand. In der prallen Sonne hält man es nicht lange aus. Da braucht man einen Sonnenschirm oder einen schattigen Platz. Schnell noch eine Abkühlung im Wasser und schon geht's weiter.

Vorbei an dem Salzsee fahren sie in Richtung La Savina. In einem Restaurant hat man einen schönen Rundblick auf den Hafen und den Strand. Dort machen beide ihre Mittagspause. Im kleinen Vorgarten des Restaurants möchte man noch gerne ein bisschen verweilen und dieses herrliche Panorama im Paradies von Formentera in sich hineinziehen.

Es Pujols gilt als Touristenzentrum von Formentera. Stunde für Stunde kommen immer neue Gäste mit ihren Schiffen und Booten aus Ibiza auf die Insel. Kerstin und Tommy bestellen ein Schinken-Käse-

Omelette mit gemischtem Salat und beobachten von ihrem Tisch aus das bunte Treiben am Hafen und am Strand. Noch ein kühles Cola, dann setzen beide ihre Radtour fort.
Nächstes Ziel ist die Cala Savina. Man trifft dort ebenfalls auf mediterranes Flair: schneeweißer Sand bis zum Horizont, türkisblaues Wasser, seichte Wellen des Mittelmeeres und fröhliche, junge Menschen aus aller Welt. Der Kontrast zwischen dieser Glitzerwelt der Reichen und dem paradiesischen Strand könnte nicht größer sein.

Schnell stürzen sich beide in die Fluten. Immer mehr weiße Jachten kommen an. Viele Ankömmlinge fahren mit ihren Beibooten direkt auf den Strand. Es ist ein kaum beschreibbares Schauspiel, das sich ebenfalls dort abspielt. Es ist ein Kommen und Gehen, ein Sehen und Gesehenwerden. Es stranden die reichsten und schönsten der Welt und sie sind mit ihren Fahrrädern mittendrin! Von ihrem schattigen Plätzchen aus beobachten beide das ultimative Schauspiel und Treiben am Strand von Cala Savina.

Tommy zu Kerstin:

„Hier soll einst zur Römerzeit die Kornkammer Europas gewesen sein. Außerdem gehört die Insel zum Weltkulturerbe und es befindet sich hier das große UNESCO-Landschaftsschutzgebiet!“

Kerstin: „Nee, das kann alles doch nicht sein, oder?“

Tommy: „Doch, so markant steht es jedenfalls in unserem Reiseführer!“

Er versucht bei diesen vollendeten Tatsachen der kleinen Baleareninsel Formentera etwas Philosophisches abzugewinnen. Es fehlen noch die markanten Worte der großen Dichter und Welteroberer. Da fällt ihm nur der französische Science-Fiction-Autor Jules Verne ein, der Berichten zufolge hier auf der Insel im Jahre 1858 seinen fantastischen Roman „Hektor Servadacs Weltraumreise“ schrieb.

Doch neben diesen großen Worten überzeugen sie nur ihre eigenen Eindrücke. Und die sind fast immer authentisch mit den Begebenheiten vor Ort. Und manchmal eben fehlen ihnen einfach die Worte.

In ihren Augen ist es eine sehr schöne Insel mit viel Flair und es gibt wahrscheinlich noch viel Interessantes zu entdecken. Beide sind gerade eben erst in dieser neuen Welt angekommen, wo angeblich die Natur verbunden mit den Menschen noch im Einklang sein soll.
Bei glühender Hitze fahren beide gegen Abend wieder ins Ca Marie zurück und stürzen sich hitzegeladen in den Pool. Man könnte fast sagen, in allerletzterer Sekunde, denn ihre Haut hat unter der sengenden Sonne schon sehr stark gelitten. In der Zeitung steht, dass am heutigen Abend Sternschnuppen zu sehen seien. Die Perseiden, den jährlich wiederkehrenden Meteoritenstrom, kann man auf Formentera besonders gut beobachten, weil es dort viel dunkler ist als anderswo in Europa.

Doch sie sind von ihrem Ausflug viel zu müde, um noch wach zu bleiben, um die Sternschnuppen zu beobachten. Erst nach Mitternacht kann Tommy einige erkennen, die direkt über der Insel verglühen und mit ihrem Lichtschweif in Richtung Meer stürzen.

Kerstin gesellt sich recht verschlafen dazu. Gemeinsam beobachten sie das leuchtende Band der Milchstraße und die unzählbaren leuchtenden Sterne.

„Da, eine Sternschnuppe", ruft Kerstin plötzlich in die dunkle Nacht. Doch es ist leider nur der Schimmer einer Plastiktüte gewesen, die der Wind am Strand in die Höhe riss. Ein kleiner Trostkuss von Tommy rettet sie in die Nacht zurück.

Am Donnerstag frühstücken beide erst um acht Uhr. Heute steht die Leuchtturm-Tour auf dem Programm. Auch ihr zweiter Ausflug mit dem Fahrrad beginnt glühend heiß. Schon nach wenigen Kilometern legen beide eine Pause bei Es Calo ein. Von hier aus sollte die Route durch den Pinienwald zum Leuchtturm führen. Nur mühsam schaffen die zwei Radler den Weg bergauf. Schon wieder Pause! Kerstin und Tommy sind die einzigen, die mit dem Fahrrad unterwegs sind. Es ist eben viel zu heiß, eine so weite Fahrt mit einem Drahtesel zu machen.

Endlich erreichen sie El Mirador, einen wunderschönen Aussichtspunkt, der sie für all ihre Mühe entschädigt. Von hier aus kann man fast die ganze Insel überblicken, die ihnen viel größer erscheint, als sie jemals gedacht haben.
Mit viel Fleiß und Kraft erreichen sie beide nach kurzer Fahrt schließlich den Ort El Pilar. Kerstin kauft ein paar kalte Getränke und Mandelkuchen zur Stärkung. Der Leuchtturm von Far de la Mola ist von hier aus schon in Sichtweite. Schnell radeln sie noch die letzte Etappe bis ans Ziel ihrer Tour. Er fotografiert den Turm und das Meer sowie Kerstin mit dem Fahrrad. Dann machen sie sich augenblicklich bei zweiunddreißig Grad Hitze wieder auf den Rückweg.

Beim Vier-Sterne-Hotel Mola, das auf dem Weg liegt, gibt es die nächste kurze Verschnaufpause. Die Anlage hat aus ihrer Sicht keinen besonders schönen Strand, so wie man es von den anderen Stränden von Formentera her kennt. Aber das ist nur eine subjektive Beobachtung der beiden. Dafür gibt es dort eine eigene Kläranlage und das riecht man.

Beide fahren dann wir weiter zum nächsten Strand Es Arenals. Dort weht ein Hauch von Karibikflair über den Strand. Also ein feines Ambiente, wie man so schön sagt, kleine Wellen am Strand, wenig Touristen, alles ruhig und bestens. Dort bleiben beide noch ein bisschen, um wieder ein bisschen Kraft zu tanken. Man muss viel trinken, vor allem Mineralwasser und Bitter Lemon! Der Strand hat etwas Besonderes und ist nicht so überlaufen wie andere auf der Insel.

Auf der zähen und heißen Rückfahrt mit den Fahrrädern machen Kerstin und Tommy noch kurz eine Rast im Schatten eines Feigenbaums. Sie ist mit ihren Kräften oder anders gesagt mit ihren Reserven fast am Ende. Ein so kleines schattiges Plätzchen mitten in der Wüste kommt also wie gerufen. Die Hitze macht beiden sehr zu schaffen, denn die Temperatur ist extrem hoch.

Tommy macht Kerstin Mut, denn es ist nicht mehr weit bis in ihr Ca Marie. Die Hitze ist für eine Radtour kaum noch zu ertragen. Am späten Nachmittag erreichen sie wieder, zum Glück unversehrt, die Hotelanlage.
Sie sind jedoch sichtlich entkräftet und lassen sich augenblicklich tief fallen. Siesta! Man hörte bis zum späten Abend nichts mehr von ihnen. Erst der Duft des leckeren Abendessens lockte sie wieder aus ihrem Bau!

Am nächsten Freitag ist nach dieser Strapazen-Radel-Tour ein Ruhetag angesagt. Nach dem Frühstücken geht es schnurstracks an den Pool zum Lesen und Entspannen. Beide sind stehend K.O.! Das Meer ist am heutigen Tag ruhig und die Luft steht wie immer. Es ist den ganzen Tag glühend heiß. Sogar in ihrer Wohnung mit Klimaanlage ist es tagsüber kaum auszuhalten. Das Abendessen ist dann eine willkommene, kühle Abwechslung.

Danach starten sie doch noch zu einer kleinen Radtour zum Shoppen nach San Ferran und San Francesco. Dort gibt es insgesamt nur ein Geschäft. Kerstin kauft sich einen neuen Wecker. Für Tommy gibt es in diesem Laden nichts Interessantes, was sein Herz beglücken könnte.

Es herrscht gegen zwanzig Uhr Rushhour auf den Straßen. Da bilden sich an der Tankstelle riesige Schlangen von Mopeds und Mofas. Alle wollen noch schnell neuen Sprit für den nächsten Tag! Schnell radeln beide wieder nach Hause und sind froh, wieder in ihrem Appartement zu sein. Aus diesem Anlass nehmen sie sich noch fest in den Arm.

Schon am nächsten Morgen starten beide mit einem etwas mulmigen Gefühl erneut eine Radtour in Richtung San Francesco.

Heute ist es angenehm kühl mit vielen Wolken und etwas Wind. Weiter treibt beide die Neugier nach Cala Saona auf der anderen Seite der Insel. Durch eine wunderschöne Naturlandschaft radeln sie gemütlich an einsamen Häusern und an Feldern vorbei und erreichen am Mittag die schöne Bucht.

Kerstin und Tommy lassen ihre Fahrräder kurz stehen und spazieren bis zum Ende des Strandes und dann wieder zurück. Im kleinen romantischen Hafen ankern jedoch ein paar weiße Luxusjachten der Reichen. Es ist schon überall das gleiche Bild. Mal gibt es mehr, mal weniger Infrastruktur.
Hoch über der Bucht hat man von einem Café aus einen herrlichen Blick über den Strand und die Schiffe im Hafen und die vielen Menschen, die überall umherströmen. Das ist das Theater der Natur, das Theater der Menschen, das Theater der Welt. Man fragt sich zu Recht, wer möchte dort nicht sitzen?

Bei Wasser und Cappuccino lässt es sich von dort oben, in der Lounge des Cafés, angenehm aushalten. Der Preis dafür ist überschaubar und das Theaterstück gibt es als Zugabe! Danach fahren beide schweren Herzens noch zum Leuchtturm Cap Barbaria.

Sie versuchen ihr Glück, durch eine kleine Abkürzung den Leuchtturm schneller zu erreichen, als auf der Hauptstraße. Doch der Radweg führt immer steiler bergauf und endet plötzlich in einer Mülldeponie. Das ist das Ende der kürzeren Route! Abkürzungen sind oft nur Umwege, so das Fazit von Kerstin und Tommy.

Das bedeutet nun leider, dass sie den ganzen Weg wieder zurückfahren müssen. Gott sei Dank, geht es jedoch bergab. Ein kühler Fahrtwind weht nun angenehm am Körper. Den Leuchtturm als nächstes Ziel anzusteuern, geben sie nun auf und fahren wieder zurück nach San Francesco.

Dort kauft Tommy aus der Not heraus eine neue Sonnenbrille. Kerstin besorgt zwei leckere Mittagssnacks. Nachmittags sind beide wieder zurück im Ca Marie und genießen dort die Ruhe und Gemütlichkeit im Schatten des Pools.

Am nächsten Morgen frühstücken sie schon um acht Uhr. Danach fahren sie, laut den Angaben ihres Reiseführers, zum schönsten Strand von Formentera, nach Illetes. Er gehört nach Playa Migjorn und Es Arenal zu den wohl schönsten Stränden der Insel. Er liegt ganz im Norden langgestreckt in einem Naturschutzgebiet und reicht optisch gesehen fast bis nach Ibiza hinauf.
Mit ihrem alternativen Radeln sind beide dort am Platja de Ses Illetes die ersten Ankömmlinge. Nur in der blauen Bucht liegen schon einige weiße Jachten. Entlang der flachen Ebene erstreckt sich der weiße Strand mit dem unverkennbaren türkisblauen Wasser. Die Sonne sticht jetzt schon gnadenlos auf ihre Köpfe herab. Es ist unerträglich heiß! Jetzt

heißt es baden und abtauchen ins hoffentlich kühle Nass.

Nebenbei fotografiert Tommy die vielen Mädels und Jungs, wie sie auf dem hölzernen Steg barfuß von ihren Jachten herüber kommen. Mit ihren edlen Strandtaschen suchen die Girls kichernd einen schönen, schattigen Platz. Ganze Gruppen von Touristen kommen ständig dort am Steg an, machen Selfies und überfluten dann den vollen Strand. Andere fahren mit ihren schnittigen Jachten wieder nach Ibiza zurück. Überall liegen die Teenies der neuen Generation und flirten mit ihren Begleitern was das Zeug hält.

Am Mittag vor der größten Hitze machen sich fast alle wieder auf den Heimweg. Hunderte, ja tausende von Rollern stehen an den Boxen oberhalb des Strands. Einer schaut aus wie der andere. Nur in unterschiedlichen Farben stehen sie dort in Reih und Glied. Und wenn man es noch bedenkt, befindet sich dieser Parkplatz inmitten des Naturschutzgebiets!

Einsam daneben stehen die zwei Fahrräder von Kerstin und Tommy! Über die staubige Zufahrtsstraße fahren sie wieder ins Ca Marie zurück.

Immer mehr Roller kommen ihnen entgegen, die alle noch zum schönen Strand wollen. Man hat den Eindruck, dass dies die einzige Zufahrtsstraße ist, die zum Strand führt. Und dieser Eindruck ist auch richtig!

Tommy fragt Kerstin:

„Kannst du mir sagen, wie wir am schnellsten wieder aus dieser Naturschutz-Hölle herauskommen? Schau doch mal auf die Karte!"

Kerstin zu Tommy:

„Ich glaube, es gibt nur diese Straße!"
Die Sonne sticht noch erbärmlicher auf dieser staubigen Straße. Überall Menschen mit ihren Mofas, Fahrräder, Autos und Fußgänger. Man hat das Gefühl zu ersticken in diesen Abgasen aus Hitze und Staub. Das Paradies und die Hölle könnten nirgendwo auf der Welt näher

beieinander liegen als scheinbar hier an dieser Stelle. Und der Mensch zwängt sich irgendwie motorisiert oder per Fahrrad dazwischen durch! Was für ein Desaster!

Alles muss genau dort an dieser schmalen Stelle durch. Das ist das europäische Landschaftsschutzgebiet von Formentera, steht dort auf einer Tafel. Man mag es angesichts dieser enormen Menschenwanderungen kaum glauben.

Endlich erreichen sie Illetes und trinken in aller Ruhe einen Eiskaffee und beobachten das Treiben an der Kreuzung. Auch da wieder Chaos pur. Alle wollen irgendwo hin. Es gibt Touristen, die fahren mit ihren Mietwagen hierher, andere mit ihren Mofas und ein paar wenige mit ihren Fahrrädern. Doch genau an dieser Ecke ist Schluss für alle, denn es geht nur noch zu Fuß weiter!

Abends im Ca Marie ist für Kerstin und Tommy die Welt wieder in Ordnung. Unter den Palmen liegen, am ruhigen Pool und an der Bar einen kühlen Drink bestellen. Man spürt förmlich, wie nun die Hektik des Alltags aus dem Körper strömt. Beide liegen wieder auf ihren bunten Badetüchern und fühlen sich frei, frei von allem, was man sich nur wünschen kann.

Heute, am Montag, starten sie zu ihrer letzten Radtour auf Formentera. Bei Sant Ferran biegen sie rechts ab und folgen der Straße bis zur Cala en Baster. Langsam ziehen weiße Wolken auf und ein frischer Wind bringt ihnen etwas Abkühlung mit. Nach gut einer Viertelstunde sind sie da. Sand und Ockerfarben wölben sich bis zur Bucht. Die Einwohner haben in den hohen Sandstein am Hafen Löcher gehauen, in denen sie Schiffe verstecken. Eisenbraun sind die Schichten in der ganzen Bucht zu sehen.
Auf dem Rückweg ins Ca Marie kaufen sie noch eine Zeitung und einen Schreibblock und fahren weiter bis zur Tropfsteinhöhle.

Faszinierend und bizarr sind die Gebilde unter der Erde. Eine kleine Gruppe wird durch ein kleines Gewölbe geführt. Kerstin und Tommy schließen sich ihnen an. In der Tropfsteinhöhle ist es angenehme 22 Grad warm. Auf dem Nachhauseweg suchen sie noch nach dem Torre Catala. Doch leider konnten sie ihn trotz Kerstins Karte nicht finden. Auch glühendheiß wie immer endet dieser Tag mit der Rückfahrt ins Hotel.

Als erstes geben sie ihre beiden Fahrräder wieder zurück. Am Pool beenden Kerstin und Tommy den Tag und genießen die Abkühlung unter den grünen Palmen. Dort klingt der Tag aus, so wie er begann.

Am nächsten Morgen ziehen graue Wolken auf. Sofort nach dem Frühstück gehen sie zu Fuß wieder los. Sie möchten unbedingt noch den Torres des Catala finden, einen alten Wehrturm aus früherer Zeit. Schon nach der ersten Abzweigung müssen beide erkennen, dass sie in die falsche Richtung spazieren. Plötzlich reißen jedoch die Wolken wieder auf und es wird erneut heiß. Im Schatten einer Pinie machen beide eine kleine Rast.

Kerstin zu Tommy:

„Geh mal los und schau, wie weit es noch bis zum Torres ist!“

Tommy zu Kerstin:

„O.K., ich geh dann mal los!“

Und tatsächlich! Schon nach nur etwa einhundert Metern kann Tommy ihn durch die Pinien sehen. Es ist fast schon genau dieselbe Stelle, an der sie gestern mit ihren Fahrrädern waren.

Tommy ruft zu Kerstin:

„Ich sehe ihn schon!“
Schnell eilt Tommy zurück zum Strand und holt Kerstin ab. Langsam steigen sie den Hang hinauf zum Torres. Oben auf dem Turm haben beide einen herrlichen Ausblick über den Strand und die Insel. Tommy schießt noch die obligatorischen Fotos und schon bald kehren beide wieder ins Ca Marie zurück.

Wieder unter den Palmen angekommen, lassen sie die Seelen baumeln. Heute ist ihr vorletzter Tag auf Formentera. Am Abend trinken sie noch zusammen mit den holländischen Gästen aus dem Hotel eine Sangria. Es ist schon halb zwölf, als beide endlich müde und erschöpft ins Bett fallen.

Morgen beginnt Kerstins und Tommys letzter Urlaubstag, den sie den ganzen Tag im Ca Marie verbringen möchten. Wiederum ist es glühend heiß. Kein Wölkchen lässt sich am Himmel blicken.

Bereits der Gang durch den Park bis zum Frühstücksraum ist manchmal eine Höllenqual. Ohne Schuhe ist dieser Weg kaum zu schaffen. Der Boden glüht schon frühmorgens feuerheiß. Man sucht immer den schnellsten Weg zum Ca Marie hinauf, vorbei am duftenden Oleander und den vielen unbekannten Blüten, die auf dem Weg liegen.

Nach diesem morgendlichen Ritual gehen sie wie immer ans Schwimmbecken zum Relaxen. An diesem Mittag ist es erneut um die 35 Grad im Schatten. Kerstin und Tommy schreiben ein paar Ansichtskarten an die Verwandtschaft und Freunde.

Am Nachmittag ziehen sie sich zum Kofferpacken ins Appartement Agua Clara zurück und das bei sehr heißen Temperaturen. Die Rückreise verläuft dann wie am Schnürchen: Um drei Uhr früh wird das Gepäck vor ihrer Zimmertüre abgeholt. Nach dem Anziehen gehen sie dann zu Fuß an die Rezeption. Um drei Uhr dreißig bringt sie der Bus zum Hafen.

Pünktlich startet die Fähre nach Ibiza, wo schon der Bus in Eivissa wartet und alle Urlaubsgäste zum Flughafen bringt. Um acht Uhr geht der Flug nach München, wo Kerstin und Tommy pünktlich gegen Mittag wieder zuhause gut ankommen!

Bonus-Reise als Zugabe!

Spanien – Menorca Cala en Bosc

Mai 2005

Am heutigen Sonntag, den 22. Mai, müssen Kerstin und Tommy schon um 4:00 Uhr aufstehen. Für nur ein paar Sekunden kann man noch den Mond sehen. Bei Tagesanbruch ist es noch kühl und wolkig. Gegen 5:00 Uhr kommt ihre S-Bahn zum Flughafen.

Es bleibt nicht viel Zeit und glücklicherweise können beide direkt im Zentralbereich einchecken. Danach geht es sofort ohne Beanstandungen durch die Sicherheitskontrolle. Im Buch-Shop kauft Kerstin noch zwei kleine Taschenbücher. Eins für Tommy mit dem Titel: „Der perfekte Liebhaber" und eins für Kerstin mit dem Titel: „Die perfekte Liebhaberin". Kerstin traut sich dann doch nicht, die Bücher zu zahlen und schickt Tommy an die Kasse. Kurze Zeit später um 7:00 Uhr sind beide mit Hapag-Lloyd schon in der Luft und in knapp zwei Stunden landet die Maschine pünktlich auf Menorca in Mao, auf Spanisch: Machon!

Es ist bei der Ankunft leicht bewölkt, aber viel wärmer als noch in Bayern. Die Dame von ITS-Reisen, die sie am Ausgang des Terminals empfängt, übergibt ihnen den Voucher für das „All-inclusive“-Hotel „Turquesa Mar“. Das heißt übersetzt so viel wie: „Meeresschildkröte“.

Sie berichtet, dass es in der Nähe der malerischen Bucht von Cala en Bosc läge. Nach einer kleinen Pause fährt der Bus endlich vom Parkplatz los. Beide sind das erste Mal auf Menorca. Schon die ersten Eindrücke bei der Hinfahrt ins Hotel sind vielversprechend. Die Insel zeigt sich den Gästen von ihrer schönsten Seite. Viel Grün erstreckt sich bis zum Horizont, leicht hügelig und wenig verbaut. Ab und zu fährt der Bus durch ein kleines ländliches Dorf, das sich ihnen auch neu und gepflegt präsentiert.

Nach gut einer Stunde Fahrt erreicht der Reisebus die Cala en Bosc. Und schon sind sie in ihrem Traumhotel Turquesa Mar. Alle Urlaubsgäste stürmen sogleich mit ihren Koffern aus dem Bus zur Rezeption. Erstmal ist für alle langes Warten angesagt, denn die Mitarbeiter und Mitarbeiterinnen am Empfang sind diesem Ansturm sichtlich nicht gewachsen. Erst nach einer Stunde sind Kerstin und Tommy an der Reihe, aber leider sind die Zimmer noch nicht fertig. Als Entschädigung wird für die wartenden Gäste auf der Terrasse Kaffee und Kuchen serviert. Es ist ein Hotel mit dem Anspruch: „all inclusive!“.

Es ist das erste Mal, dass sie dieses Gesamtpaket gebucht haben. Diese Idee, dies zu tun, entstand aus der Not heraus, da beide ziemlich unsicher waren, was sie auf der Insel Menorca erwarten würde. Den Informationen aus dem Katalog zufolge, gibt es auf Menorca nur hochwertige Angebote, was die Qualität der Hotels betrifft.

Endlich bekommen beide die Schlüssel für das Zimmer 2141. Es liegt im ersten Stock des Gebäudes, direkt am Ende des Pools. Da lässt es sich für die anstehenden Urlaubstage gut aushalten. Man hat einen fantastischen Blick auf die Anlage sowie die Palmenlandschaft.

Kerstin: „Schaut doch ganz gut aus!"

Das großzügig ausgestattete Apparte-ment besteht aus Küche, Balkon, Schlafzimmer, Dusche, WC und Badewanne! Der Boden glänzt im feinsten weißen Marmor. Dazu gibt es noch einen Farbmonitor mit CD-Player inklusive, was für ein Luxus!

Leider haben die zwei ihre heißen Scheiben mit Musik oder die DVDs nicht dabei. Aber das macht ihnen nix, dafür haben sie ja die Bücher aus dem Buch-Shop dabei.

Nach der individuellen und persönlichen Abnahme und Besichtigung ihres Wohnkomplexes starten sie in lockerer Kleidung zur ersten Entdeckungstour zur

Cala en Bosc. Überall gibt es bewundernswerte zweistöckige Hotel-Anlagen mit vielen Palmen, grünem Rasen, blauen Pools. Alles erscheint ihnen sehr aufgeräumt und sauber, genau wie im Katalog angegeben.
Natürlich sind Kerstin und Tommy keine Hotel-Tester oder gar Ferienanlagen-Begutachter. Das waren sie noch nie. Sie freuen sich ganz einfach über ihre gelungene Auslese und den schönen Ort, an dem sie im Moment gelandet sind.

Um die Ecke entdeckt Tommy in einer Parkbucht sein ersehntes Traum-Auto, einen Renault C3! Und da steht plötzlich noch einer und noch einer! Die Begeisterung hält sich jedoch in Grenzen. In Grunde ist es ja auch nur ein Auto wie jedes andere auch.

Sofort finden beide auch den Weg hinunter zum Strand. Man trifft nur auf wenig Touristen. Die Straßen und die Strände sind dementsprechend nur mäßig besetzt.

Kerstin und Tommy spazieren ganz entspannt weiter, hinüber zur Cala en Bosc. Auch hier das gleiche Bild: feiner weißer Sand, wenige Touristen, ein paar Surfer, jedoch mit zugehöriger großer Bucht. Vom Westen der Insel Menorca aus gesehen, ist dies der erste schöne Strand der Südküste. Beide sind total begeistert von so viel Schönheit und Harmonie.

Tommy:

„Jetzt noch schnell zum romantischen Sporthafen."

Er befindet sich in einer ausgebauten Lagune. Die vielen Boote und die schnittigen kleinen Yachten liegen an den verschiedenen Stegen und ihre pfiffigen Aluminium-Verkleidungen glänzen in der Sonne. Das alles ist sehr fein gestaltet und begeistert mit Sicherheit auch andere Feriengäste von jung bis alt.

Als sie wieder ins Hotel zurückkommen, startet gerade die hoteleigene „Kaffeezeit". Zur Auswahl stehen fast alle Kaf-

feesorten der Welt bis hin zum legendären italienischen Cappuccino und frischen Apfelkuchen gibt es in Hülle und Fülle dazu.
Das „All-inclusive-Paket“ zahlt sich jetzt aus, denken sich beide insgeheim und stürzen sich hemmungslos auf die süßen Sachen. Mit den ausgewählten Köstlichkeiten Kaffee und Kuchen legen sie sich anschließend an den Swimming-Pool. Es fällt ihnen leicht, an diesem Nachmittag zwei passende blaue Liegen mit dazugehörendem Tischchen zu finden.

Kerstin und Tommy liegen nun ganz entspannt unter den Schatten spendenden Palmen und tun damit etwas Gutes für ihr Gemüt. Sie räkeln sich auf den Liegen hin und her und lassen sich von den sanften Sonnenstrahlen verwöhnen. Der genussvolle Nachmittag rundet das durchaus ultimative Urlaubsbild im vollen Umfang ab.

Beim Abendessen sind ebenfalls nicht so viele hungrige Menschen an den Buffets. Deswegen können beide buchstäblich aus dem Vollen schöpfen: Schnitzel mit Pommes sowie frisches Brokkoli-Gemüse landen auf den Tellern. Kerstin nimmt eine kleine Weinscholle dazu und Tommy holt noch ein paar Trauben, ein kleines Törtchen und ein paar Käse-Stücke zum Nachtisch. Kerstin meint: Es gibt Schlimmeres auf der Welt!

Das Essen schmeckt sehr lecker und alles ist frisch zubereitet. Das Hotel hat eine gute Auswahl und man findet alles, auf das man gerade Lust hat. Anschließend machen sie noch einen kleinen Verdauungsspaziergang zum nahen Leuchtturm. Dabei müssen sie am Hafen über eine kleine, weiße Brücke gehen. Von weitem sieht man schon den schwarz-weißen Koloss im Abendlicht stehen. Schnell schießt Tommy noch ein Foto hier, ein Foto dort und so wird alles später auf seine Festplatte gebrannt, natürlich in digital.

Nun gehen sie zurück zum Hafen. Überall liegen die Boote, die Yachten und die

Ausflugsschiffe an den Tauen. Fischerboote sucht man als Tourist dort vergebens! Die Ära der Fischerei ist wohl schon länger vorbei, denken sich die zwei.
Musik dröhnt über den Hafen und überall flanieren die Menschen und in den Lokalen sind alle Tische gut belegt. Ab und zu fährt ein Auto vorbei und auch eine Pferdekutsche ist noch unterwegs. Es gibt von allem etwas und das nur ein bisschen. Auf jeden Fall gibt es hier auch ein Britannia-Lokal, da tönt auch heiße Musik nach draußen. Ein paar Schritte weiter spielen Live-Musiker wiederum draußen! Also ein buntes Durcheinander von Menschen und Musik. Im Grunde ist es eine Mischung zwischen Romantik und Urlaubs-Feeling. Für Kerstin und Tommy ist es ein schönes Gefühl, da zu sein, denn diese Mischung gefällt ihnen eben sehr gut. Man kennt es ja auch von anderen Urlaubsorten, wo man sich mit ein paar musikalischen Klängen aus der Heimat schnell wie Zuhause fühlt.

Nun heißt es aber wieder ins Hotel zurückkehren, damit man am morgigen Tag fit ist.

Am nächsten Morgen planen beide einen längeren Fußmarsch am Strand entlang. Gemütlich spazieren sie der malerischen Bucht entlang in Richtung Westen. Dort liegt auch irgendwo weit entfernt der Flughafen von Mao. Man geht über flache Felsen auf und ab. Üppiges Gebüsch liegt dazwischen. Schon von weitem sehen sie auf einmal ein weißes Häuschen in der Landschaft stehen. Es hat sogar einen elektrischen Stromanschluss. Über mehrere Masten wird die Stromleitung bis zum Haus geleitet. Die Fenster und Türen sind komplett zugemauert. Das finden sie schon sehr seltsam. Direkt neben dem Häuschen führt eine steile Steintreppe in den dunklen Abgrund. Für beide ist das Ganze sehr unheimlich.

Tommy zu Kerstin:

„Ich schaue mal nach, wohin die Treppe führen könnte!"

Kerstin:

„Sei aber vorsichtig!“
Langsam, Schritt für Schritt geht Tommy die dunkle, lange Treppe hinunter und entdeckt am Ende der letzten Stufe eine kleine, felsige Bucht.

Tommy ruft nach oben: „Da unten ist eine kleine Bucht!“

Dann erkennt er ein großes Gewölbe direkt unter dem Haus. Es entpuppt sich als Bootshaus, in einer privaten Bucht. Das Boot wird elektrisch in das Gewölbe nach oben gezogen und hängt sozusagen an dessen Decke, wenn man das Ganze von unten her betrachtet. Da steht nun Tommy mit seiner Kamera auf einem kleinen Felsen und versucht, das alles zu verstehen. Es ist schon etwas unheimlich und es bietet ihm jedoch ein einzigartiges Fotomotiv.

Weiter marschieren beide zügig der felsigen Küste entlang. In der Ferne erkennt man schon einen großen Sandstrand. Doch er kommt ihnen trotz des schnellen

Marschierens einfach nicht näher. Das Meer hat hier eine türkisblaue Farbe, aber man sieht nicht einmal ein Sandkorn am Boden, denn der ist von Steinen zerklüftet. Die Sonne sticht vom Himmel und macht ihnen nicht gerade viel Hoffnung, dass sie das Ziel vor Augen noch am heutigen Tag erreichen werden.

Tommy beschäftigt sich gedanklich im Moment mit einer ganz anderen phantastischen Geschichte. Als sie im vorigen Jahr auf Formentera waren, stand im Reiseführer, dass sie auch die Getreideinsel der Balearen und Europas hätte sein sollen. Man sprach von der „Kornkammer Europas." Beide haben damals auf ihren Touren auf Formentera kein einziges Weizenfeld gesehen.

Im Gegensatz dazu ist auf der Insel Menorca nie die Rede von Weizenfeldern gewesen, geschweige denn von einer „Kornkammer!". Und nun finden die beiden genau hier Weizen-, Hafer- und Gerstenfelder soweit das Auge reicht und das noch kilometerweit!

Dort, entlang der schönen Südseite Menorcas erstrecken sich endlos lange Kornfelder im goldenen Glanz.
Tommy meint, dass die mediterrane Geschichte der Urzeit über Menorca sicher nicht umgeschrieben werden muss, aber vielleicht hatte sich dieser „Dingsda“, der die Geschichte mit der Kornkammer damals behauptet hatte, einfach in der Insel geirrt?

Wahrscheinlich meinte er damals tatsächlich Menorca und nicht Formentera? Und eines Tages wurde aus dieser Legende dann statt Menorca wieder Formentera, weil sich beide Inseln sehr ähneln. Wenn man das aus heutiger Sicht bedenkt, sind sich die Baleareninseln Menorca, Mallorca, Ibiza und Formentera alle sehr ähnlich. Aus Tommys Perspektive gesehen besteht Formentera eher aus einer zerklüfteten Ebene. Im Gegensatz zur Nachbarinsel präsentiert sich Menorca eher flach und eben.

Nun ist aber Schluss mit Tommys virtuellen Gedankenspielen! Kerstin und

Tommy gehen weiter und erreichen trotz der Strapazen endlich die breite Sandbucht, die in der Sonne türkis leuchtet. Sie ist viel heller und bezaubernder als alle Buchten zuvor.

An einem schattigen Plätzchen finden beide Ruhe und Entspannung von ihrer langen Tour. Nur wenige Touristen haben es zu Fuß bis zu diesem schönen Strand geschafft. Beide genießen diese individuelle Atmosphäre und müssen sich dann regelrecht noch für den Rückweg aufrappeln.

Am nächsten Tag planen sie einen Ausflug in das nahegelegene Hafenstädtchen Ciutadella. Sie steigen frühzeitig in den Bus, der direkt vor dem Hotel „Meeresschildkröte“ hält. Langsam geht die Fahrt an hell leuchtenden Weizenfeldern vorbei, an grünen Landschaften mit viel üppigem Gebüsch und kleinen Ortschaften. Am Marktplatz von Ciutadella endet die kurze Fahrt.

Dort angekommen fällt es ihnen nicht schwer, sich zurechtzufinden, denn alles ist sehr ruhig und übersichtlich. Es reihen sich viele Geschäfte aneinander, abgelöst von schattenspendenden Arkaden. Die Menschen bummeln durch den Ort, kaufen Geschenke und lassen sich von der Herzlichkeit der Stadt inspirieren. Schnell ist man in dieses kleine Städtchen verliebt und wird von seinem Charme regelrecht mitgezogen. Ebenso gibt es am Hafen viel zu sehen. Romantische Cafés, Restaurants und kleine Geschäfte reihen sich an den Booten entlang der langen Wasserstraße. Kerstin kauft sich einen Gürtel für ihre neue Tasche.

In einem charmanten Café direkt gegenüber dem Fleischmarkt gönnen sich beide eine kleine Ruhepause. Von dort aus ist es schön zu beobachten, wo und wie die Einheimischen ihr Fleisch kaufen. Kerstin und Tommy sitzen im Café an ihrem Tischchen mit ihrem Espresso und bestaunen dieses bunte Treiben.

Da gibt es den Metzger nach alter Tradition, bei dem es nur edles Filetfleisch zu kaufen gibt, daneben der Hühnchen-Laden mit Geflügelfleisch. Ein anderes Geschäft wirbt mit luftgetrocknetem Schinken. Auch dort gilt, dass Qualität ihren Preis hat. Fleisch als Ware, als Luxusgut.

Da kommt eine Oma, die kauft Gulasch. Eine Dame mittleren Alters lässt sich ein Hühnchen zeigen und ein älterer Herr darf den getrockneten Schinken kosten. Die Kundschaft zeigt sich zufrieden.

Als Betrachter erlebt man es wie eine Zeitreise zurück in jene Zeit, als es noch keine Supermärkte gab. Hier wird der Handel noch nach Augenmaß vollzogen und man darf von den Produkten probieren. Kunde und Verkäufer stehen sich noch Auge in Auge gegenüber. Ja, es ist heute zum Schmunzeln, wie es sich in der guten alten Zeit wahrscheinlich abgespielt hatte.

Ab und zu bellt noch ein Hund, ein Baby schreit ganz fürchterlich und ein Mofafahrer möchte sich auch noch durch die Menge wursteln.

C`est la vie - so ist das Leben und sie genießen es auch. Das ist eben Leben pur in Ciutadella.
Am späten Nachmittag fahren Kerstin und Tommy wieder zurück nach Cala en Bosc. Nach dem Abendessen wandern sie noch zu ihrem Strand und lassen sich von den warmen Strahlen der Abendsonne verwöhnen. Man braucht schon etwas Zeit, um all diese Eindrücke des Tages im Kopf zu verarbeiten. Es ist vor allem auch ein Urlaub für die Seele und das Herz.

Nun haben beide schon so viel gesehen und gehen aber trotzdem noch kurz zum Hafen hinunter und schauen nach einem Ausflugsschiff, mit dem sie morgen dann einen kleinen Ausflug machen wollen.

Der nächste Tag präsentiert sich etwas dunstig. Um kurz nach neun Uhr buchen sie am Hafen von Cala en Bosc an einem kleinen Verkaufsstand den Ausflug mit dem Boot „Don Pedro“. Auf dem Werbeplakat steht: *Ausflug zu den schönsten Stränden von Menorca!*

Dann heißt es Leinen los! Auf geht's! Mit ein paar jungen Leuten an Bord fährt das Schiff gemütlich aus dem Hafen. Kerstin und Tommy sitzen am Bug und beobachten dieses Spektakel mit Argusaugen.

Durch einen schmalen Kanal fährt das Ausflugsschiff aus dem Hafen. Der Kapitän höchstpersönlich manövriert sein Schiff „Don Pedro“ unter einer kleinen, weißen, gebogenen „Rialtobrücke“ hindurch auf das Mittelmeer hinaus. Menschenmassen auf der Brücke winken ihnen zu. Vorbei an der schönen Cala en Bosc, weiter der Küste entlang in Richtung Norden. Dort erscheint als erster Strand die „Platja de Son Xoriguer“ mit den vielen grünen Bäumen und den mächtigen Pinienwäldern.

Als nächstes taucht die berühmte Bucht „Cala Galdana“ mit ihren atemberaubenden weißen Kalkfelsen auf. Ein spektakulärer Anblick, den jeder an Bord natürlich mit seiner Kamera festhalten möchte. Mitten drin in der blauen Lagune steht jedoch ein riesiges, weißes

Hotel. Das ist natürlich ein architektonischer Sündenfall, genau an diese naturbelassene Stelle so ein gigantisches Hotel zu bauen, denken sich viele.
Überall um die Bucht herum ragen oberhalb weitere mächtige Kalkfelsen zum Himmel empor, die hauptsächlich noch mit Pinien bewachsen sind. Das ist für alle auf dem Schiff ein herrlicher Anblick. Das alles sieht ähnlich aus wie an der Küste der Algarve in Portugal.

Dann taucht auf einmal unser Fahrtziel auf: „Cala Trebalúger". Das „Amigo-Boot" und das „Burton-Boot" liegen dort schon vor Anker. Langsam schiebt sich nun das Boot „Don Pedro" dazwischen. Alle stürmen mit ihren Badesachen über den wackligen Steg zum Strand hinüber. Es bleiben den Ausflüglern eineinhalb Stunden Zeit zum Baden und zum Relaxen. Kerstin und Tommy suchen sich schnell einen schattigen Platz, was gar nicht so einfach ist, denn das üppige Grün der Pflanzen ist etwas weiter weg vom feinsandigen Strand.

Nun erkunden beide mit der Kamera die Umgebung dieser wundervollen Bucht mit dem herrlich kristallklaren Wasser. Aus dem Pinienwald heraus fließt sogar ein kleiner Zufluss in die Lagune.

Doch ihnen bleibt kaum die Zeit, nach dem Vorbild von Alexander von Humboldt alles zu erforschen. Lorbeerbäume und mächtige Pinien stehen an den seitlichen Erhebungen des Strandes. Dazwischen gibt es Höhleneingänge, jede Menge Felsen und grünes Gebüsch. Also genug Fotomotive für farbenprächtige Postkartenbilder.

Doch leider müssen alle Touristen schon bald wieder auf ihre Schiffe zurück. Schnell springen beide noch ins Wasser und genießen die Abkühlung vor der Rückfahrt. „Don Pedro“ hupt dreimal. Es ist das Zeichen, dass alle Mann wieder an Bord sind. Beim Herausfahren aus der Cala bietet sich nochmal für alle ein atemberaubender Anblick. Es sind noch viele Boote in der Bucht, weiße Yachten und ebenso viele Sonnenhungrige, die

unter ihren bunten Sonnenschirmen am Strand liegen. Natur pur vom Feinsten, aber eben leider nicht für alle. Die meisten Erholungssuchenden müssen nach ihrem kurzen Aufenthalt wieder zurückfahren.
Der Abschied schmerzt, denn ein so schönes Plätzchen auf Erden finden die meisten von ihnen nicht so schnell wieder. Langsam verschwindet der Strand aus dem Blickfeld. Kerstin und Tommy erinnern sich noch an die Papageienstrände von Lanzarote. Beide Strände ähneln sich ein bisschen, weil sie noch naturbelassen sind. Man fragt sich nur, wie lange noch?

Erst Zuhause wird man dann wohl anhand der Fotos bemerken, wie schön es dort an der „Cala Trebalúger" war. Man wird die glänzenden Bilder bewundern und sie zu den anderen in die Schuhschachtel legen. Eigentlich schade, denkt man sich und sehnt sich nach dieser schönen Zeit, die man dort verbracht hatte.

Auf der Rückfahrt zur Cala en Bosc wird das Schiff „Don Pedro“ von weißen Möwen begleitet, die von der Besatzung mit Cornflakes gefüttert werden. Was für ein beeindruckendes Schauspiel. Die Möwen fliegen parallel zum Schiff und stürzen sich dann auf die bereitgehaltenen Leckereien der Besatzung.

Gegen drei Uhr nachmittags sind Kerstin und Tommy wieder zurück im Hotel. Da ist dann erstmal Ausruhen angesagt. Beide suchen ein Plätzchen am Pool. Dieser Tag zählt wohl zu einem ihrer schönsten Urlaubstage! Man liegt im grünen Rasen und lässt die Zeit ruhen. Man holt sich einen Kaffee und genießt dazu ein Stück Kuchen.

Kerstin macht später noch Tommys Haare flott. Er kriegt noch eine Tönung. Die Werbung verspricht einen etwas dunkleren Ton, aber nun schauen Tommys Haare schön braun aus. Auf einem kleinen Bummel vor dem Essen kauft Kerstin noch eine Strandtasche. Ein schöner, sonniger Tag auf Menorca neigt sich dem Ende zu. Was könnte da noch schöner sein, als Tommys neue Haartönung? Schon am nächsten Tag erfahren beide die Antwort. Sie planen einen Ausflug nach Maó. Diese wunderschöne Hafenstadt begeistert ihre Herzen ebenfalls sehr schnell. Überall erstrecken sich kleine Gässchen, die zum Shoppen einladen, und versprühen ein mediterranes Flair. Nach der Besichtigung des „Mercado de Pescados" – des Fischmarktes-buchen sie noch eine kleine Hafenrundfahrt mit dem Glas-Boot. Der fast fünf Kilometer lange Hafen von Maó ist Schauplatz vieler Wasserfahrzeuge aller Art. Man entdeckt durch die Glasöffnungen im Boot in den Tiefen der Gewässer allerhand Fische und Pflanzen. Nach dem Essen und Kaffeetrinken an einem schattigen Plätzchen fahren beide mit dem Bus mit ihren schönen Eindrücken im Gepäck wieder zurück ins Hotel.

Ihren letzten Urlaubstag genießen Kerstin und Tommy am kleinen Strand. Endlich mal ausspannen und keine Termine wahrnehmen. Es wird ein gemütlicher Badetag. Am Abend ist zum letzten Mal Eis essen angesagt. Ein kleiner Spaziergang rund um den romantischen Hafen von Cala en Bosc rundet den Tag ab. Leider geht auch dieser schöne Urlaub mal zu Ende, denn schon am Sonntag ist der Rückflug. Frühstücken um acht Uhr, dann Kofferpacken. Der Bus holt sie im Hotel um 10:25 Uhr ab.

Am Flughafen ist beim Einchecken erneut langes Warten angesagt. Leider ist in Tommys Tüte eine kleine Flasche mit Likör geplatzt. Kurzfristig müssen sie alles raustun und in Kerstins Koffer umräumen. Trotz dieses Malheurs geht der Flug um 13:50 Uhr zurück nach Deutschland. Ankunft um 16:00 Uhr. Es ist 32 Grad warm am Flughafen. Horst und Heidi holen sie ab. Sie fahren zurück nach Augsburg, dann gibt es noch eine Salatplatte. In München kommen sie todmüde um 21:00 Uhr an. Es war ein wunderschöner Urlaub.
Kerstin:

„Tommy", sagt sie.

„Ja?"

„Ich möchte dir etwas sagen. Wenn ich dir schreibe: Ich habe dich lieb!, möchte ich dir damit sagen, dass du der einzige Mann bist, bei dem ich dieses so wunderbar geborgene Gefühl der Liebe empfinde. Wenn du mich in deinen Armen hältst, ist zu jedem Zeitpunkt alles wieder gut. Ich spüre dich ganz fest. Meine Energie und meine Kraft sind untrennbar mit dir verbunden. Wir haben uns gefunden auf dieser Welt.

Und jedes Mal von Neuem merke ich, wie diese Intuitionen von dir kommen. So eine unbeschreibliche friedliche Ruhe schenkst du mir täglich, eine Liebe, deren Geborgenheit nichts verlangt und nur einfach immer da ist.

Diese Augenblicke bedeuten mir viel und ich genieße sie so sehr und danke dir dafür! Du hast meinem Leben ein so unbeschwertes Glücksgefühl geschenkt.

Diese Fröhlichkeit ist so innig und stark, wie sie niemals zuvor war.

Für diese Liebe und die, du würdest sagen, unwiederbringbaren Minuten, Stunden, Tage, Jahre, … danke ich dir von ganzem Herzen! Dein Schatz."

Tommy zu Kerstin:

„Kerstin", sagt Tommy.

„Ja?"

„Ich möchte dir sagen, für deine romantischen vielen Zeilen danke ich dir recht herzlich.

Urlaub ist ebenso in meinem Herzen fest verankert wie mein Kerstin-Schatz. Das sind Sonne, Strand und Meer. Ewig scheint das helle Licht auf meine Seele und streichelt mein Herz. Auf Inseln sind wir zu Hause, da, wo all unsere Träume wahr werden.

Im Licht der Gegenwart ist es schön. Ich möchte mit dir hierbleiben, in unserer Welt. Manchmal ist es nur eine Welt der

Worte, aber manchmal werden sie auch wahr und wir fahren dann wieder los auf eine andere Insel. Jahr für Jahr. Urlaub für Urlaub. Da ist es schön und wir kehren dann wieder gemeinsam zurück mit unseren Schätzen. Auch Zuhause ist es schön, manchmal sogar viel schöner!

Am Anfang waren es eben nur die Worte, die uns ins Paradies brachten. Heute sind es Flugzeuge. Was jedoch gestern noch Worte waren, kann schon übermorgen Wirklichkeit sein. Sanfte Worte kann man im Herzen spüren. Es tut so gut, wenn man die Liebe spüren kann. Ich wünsche mir, dass es immer so bleibt. Dein Tommy-Schatz.